«Ein kostbares Buch. Eine Prosasonate in drei Sätzen, erzählt in Hans Joachim Schädlichs ganz und gar eigentümlicher Weise.»
(Frankfurter Allgemeine Zeitung, Peter von Matt)

Hans Joachim Schädlich, 1935 in Reichenbach im Vogtland geboren, hat Germanistik in Berlin und Leipzig studiert und in ‹Ostwestberlin› gelebt. Er debütierte 1977 mit «Versuchte Nähe» (rororo 14565), dem u. a. «Tallhover» (rororo 13195), «Schott» (rororo 24865), «Trivialroman» (rororo 22626), «Anders» (rororo 23905), « Der andere Blick» (rororo 23945) und «Vorbei» folgten. Zahlreiche Preise, so etwa Heinrich-Böll-Preis, Kleist-Preis, Lessing-Preis, Preis der SWF-Bestenliste, Bremer Literaturpreis.

«Mit großer Leichtigkeit läßt sich das lesen. Es ist Handlung auf jeder Seite, nie erlischt das Interesse an den Figuren. Der existentielle Einschlag dieser Prosa ist großräumiger, nachhaltiger, als der schmale Band auf den ersten Blick vermuten läßt.»
(Stuttgarter Zeitung, Jürgen Verdofsky)

Hans Joachim Schädlich

VORBEI

Drei Erzählungen

Rowohlt Taschenbuch Verlag

Lektorat Hans Georg Heepe

Veröffentlicht im Rowohlt Taschenbuch Verlag, Reinbek bei Hamburg, September 2009 | Copyright © 2007 by Hans Joachim Schädlich | Umschlaggestaltung any.way, Cathrin Günther (Foto: Shahn Rowe/getty images) | Satz aus der Granjon PostScript, InDesign, von Pinkuin Satz und Datentechnik, Berlin | Druck und Bindung Druckerei C. H. Beck, Nördlingen | Printed in Germany | ISBN 978 3 498 25203 7

INHALT

TUSITALA

«Ach, wissen Sie. Erzählen Sie doch nichts. Was verstehen denn Sie davon. Ich ein Abenteurer? Louis war mein Patient!»

Dr. Clark legte seine Bruyère auf den Rand des Aschenbechers und stand vom Sessel auf. Hammerton blieb sitzen.

«Louis kam Ende '73 in meine Londoner Praxis. Ich habe gesehen, was mit ihm los ist. ‹Sie müssen sofort an die Côte d'Azur. Am besten nach Menton. Der Winter in Edinburgh ist Gift für Sie. Und rauchen Sie nicht mehr!›»

«Menton ist ein teures Pflaster», sagte Hammerton.

«Seine Eltern ... Sie kamen extra nach London, um sich zu vergewissern. Ich habe ihnen klipp und klar gesagt: ‹Seine Lunge ist in einem bedenklichen Zustand. Und er ist nervlich am Ende.› Louis' Mutter wollte wissen, ob sie ihn nach Frankreich begleiten solle. ‹Nein›, habe ich gesagt. ‹Er braucht einen kompletten Klimawechsel. Umfeld, Essen, Gesellschaft. Fremde werden ihn viel eher zu sich bringen als Sie es könnten.›»

«Ist er nach Menton gegangen?»

«Natürlich. Der Winter in Menton ist mild. Menton ist gegen Nordwinde geschützt. Dagegen Edinburgh: feucht, kalt, windig.»

«Hat er zu rauchen aufgehört?»

«Nein.»

«Ihr Vorhaben bleibt abenteuerlich», sagte Hammerton.

«Fürchten Sie das oder wünschen Sie es.»

«Ich fürchte es und wünsche es.»

«Wenn Sie es wünschen, so sage ich: Kommen Sie mit! Sie können während der Reise Briefe verfassen, die wir in jedem Hafen auf die Post geben. Sie erscheinen regelmäßig in einer Zeitschrift, und am Ende füllen Sie vielleicht ein Buch.»

«Der Gedanke gefällt mir», sagte Hammerton. «Wann müssen Sie meine Antwort wissen?»

Dr. Clark nahm seine Bruyère zur Hand. «Ich reise in zwei Tagen nach Deutschland. Es genügt, wenn Sie mir nach meiner Rückkehr Bescheid geben.»

Dr. Clark wußte nur, daß Behrens sich in Nürnberg als Lebküchner niedergelassen hatte. Seine Adresse kannte er nicht.

Er betrat die erstbeste Lebküchnerei und fragte nach Carl Friedrich Behrens.

Die Antwort war: «Meinen Sie den wohlversuchten Südländer?»

«Sie kennen ihn?»

«Wer von uns kennt Behrens nicht. Sie finden ihn ganz in der Nähe. Gehen Sie unsere Straße hinauf, die zweite Querstraße links, das dritte Haus rechts.»

Behrens war zu Hause. Dr. Clark, hocherfreut, sagte: «Verehrter Herr Behrens, ich bin glücklich, Sie anzutreffen. Mein Name ist Dr. Clark, meines Zeichens Arzt in London.»

Behrens sagte gleichmütig: «Guten Tag. Was kann ich für Sie tun?»

«Sie werden es mir hoffentlich nachsehen, wenn ich bekenne, daß es mich wehmütig berührt, den berühmten Seefahrer mit Mandeln und Honig hantieren zu sehen.»

«Achten Sie die Lebkuchen nicht gering, mein Herr. Ich wollte, es wären auf See immer genug davon zur Verfügung gewesen.»

«Ich möchte mit meinem Wunsch nicht hinter dem Berg halten. Es wäre mir eine Freude, Sie für eine große Fahrt gewinnen zu können.»

«Wohin soll es gehen?»

«Sie fuhren seinerzeit auf der ‹Arend› unter Kapitän Jobon Koster. Ich will Kapitän Koster dazu bewegen, sein Schiff neu auszurüsten, so daß wir die Reise in Gottes Namen antreten können.»

Behrens schüttelte den Kopf. «Wissen Sie, was Sie da sagen? Wir hatten damals drei Schiffe. Die ‹Arend› unter Kapitän Koster, die ‹Thienhoven› unter Kapitän Cornelis Bouman und die ‹Afrikaansche Galey› unter Kapitän Rosendahl. Mit nur einem Schiff wäre die Reise schwerlich gutgegangen. Bedenken Sie, daß wir gut ausgerüstet waren. Auf der ‹Arend› mit 111 Mann und 36 Kanonen, auf der ‹Thienhoven› mit 100 Mann und 28 Kanonen, auf der ‹Afrikaansche Galey› mit 60 Mann und 40 Kanonen. Vor allem aber: Die Expedition stand unter dem Oberbefehl von Admiral Jacob Roggeveen, der mich übrigens dank der Vermittlung meines Zürcher Freundes Kaspar Scherer als Kommandeur der Seesoldaten in Dienst genommen hat. Ein Mann wie Roggeveen findet sich nicht noch einmal. Das alles ist lange her. Warum sich noch einmal quälen.»

«Das Abenteuer.»

Behrens sagte: «Als ich jung war, trieb es mich immerfort zu nichts anderem als zu weiten Reisen, auf dem Wasser oder zu Lande. Aber jetzt … Möchten Sie zum Tee meinen Lebkuchen probieren?»

Der Tee war nicht nach Dr. Clarks Geschmack; er sagte: «Ihr Lebkuchen schmeckt köstlich. Es wäre zu wünschen, man könnte eine beträchtliche Menge davon mit auf die Reise nehmen.»

«Keine schlechte Idee. Der Lebkuchen ist haltbar. Aber Sie haben mir noch immer nicht gesagt, wohin die Reise gehen soll.»

«Zu allen Plätzen, die Sie damals mit der ‹Arend› angelaufen haben. Eine Wieder-Entdeckungsreise, wie das Wiedersehen mit einer alten unvergessenen Liebe. Für mich ein Abenteuer mit einem großen Ziel. Ich will am anderen Ende der Welt einen Mann treffen, der einst mein Patient war und, ohne daß er es weiß, zu meinem Freund geworden ist.»

«Wissen Sie auch, wie lange wir unterwegs sein werden?»

«Beinahe ein Jahr», sagte Dr. Clark.

«Wenn ich meinem Herzen folge, sage ich: Ja! Aber mein Verstand fragt mich: Was wird aus meinem Lebkuchengeschäft? Wie erkläre ich es meiner Frau?»

Dr. Clark sagte leichthin: «Folgen Sie Ihrem Herzen. Die Gelegenheit kommt nicht wieder. Ihre Frau kann Sie begleiten.»

«Wo denken Sie hin. Die Strapazen der Schiffsreise ...»

«Vielleicht will Ihre Frau das Geschäft solange halten.»

«Ich rede mit ihr. Und ich berate mich mit Adam Krüger, einem getreuen Nürnberger Freund.»

Dr. Clark sagte: «Ich mache mich auf den Weg nach Amsterdam. Ich will mit Kapitän Koster sprechen. Wenn ich ihm sagen kann, daß Sie, sein alter Soldat, an der Reise teilnehmen, dann ist das bestimmt von Nutzen. Sobald er zugesagt hat, lasse ich Ihnen Post zugehen.»

Für Nürnberg hatte Dr. Clark kein Auge. Es zog ihn nach Amsterdam.

In der Hafenmeisterei fragte er nach Kapitän Kosters Adresse. Der hatte sich ein Haus unweit des Hafens zugelegt. Er begrüßte Dr. Clark freimütig: «Dr. Clark, sagen Sie? Ich hatte einmal einen Schiffsarzt namens Clark. Sind Sie verwandt?»

«Davon weiß ich nichts.»

«Was führt Sie zu mir?»

«Ich möchte mit Ihnen als Kapitän die Fahrt der ‹Arend› von damals unternehmen.»

«Wer soll das bezahlen. Eine Handelskompanie?»

«Eine Königliche Gesellschaft. Übrigens, Ihr damaliger Milizkommandeur Behrens würde sich der Reisegesellschaft anschließen, hat er mir in Nürnberg versichert.»

«Behrens! Er hat sich bewährt. Wer ist Ihre Reisegesellschaft.»

«Ich kann sie ohne Ihre Zusage nicht zusammenstellen.»

Kapitän Koster sagte: «Frei heraus. Ich habe Lust auf diese Fahrt. Ich chartere die ‹Arend› und lasse sie ausrüsten.»

«Kann die Reise mit nur einem Schiff gutgehen? Behrens hat das zu bedenken gegeben.»

«Die ‹Arend› genügt.»

Dr. Clark war seit seiner Abreise aus London zum ersten Mal wirklich glücklich. «Kapitän Koster», sagte er, «Ihre Zusage beflügelt mich.»

In Amsterdam wäre Dr. Clark gerne noch ein paar Tage geblieben. Aber er versagte es sich. Er mußte die wichtigste Person aufsuchen, die an der großen Fahrt teilnehmen sollte.

Am nächsten Tag machte er sich auf die Reise nach Schottland. Daß es bei seiner Ankunft in Edinburgh regnen würde, hatte er erwartet. Er war sich seiner sicher, daß sie noch

in Edinburgh wohnte. Er ging in die Heriot Row und klopfte an die Tür des Hauses, in dem Louis mit seiner Mutter
zuletzt gewohnt hatte. Ein älterer Mann öffnete die Tür,
und er wußte ihre Adresse.

Dr. Clark hatte nicht weit zu gehen. Als die Tür aufging,
sagte er: «Guten Tag, Frau Cummy! Mein Name ist …»

«Wer gibt Ihnen das Recht, mich ‹Cummy› zu nennen!
Dieses Recht besitzen nur Louis, seine Mutter und sein seli-
ger Vater. Wer sind Sie überhaupt.»

«Dr. Clark. Ich habe mir erlaubt, Sie bei diesem Namen
zu nennen, weil ich Sie sogleich zu einer Reise einladen
wollte …»

«Wohin?»

«… um Louis wiederzusehen.»

«Ach, treten Sie doch ein.»

Sie führte Dr. Clark in ihr kleines Wohnzimmer. «Ich
soll mein Jungchen wiedersehen?»

«Ja. Verzeihen Sie, daß ich …»

«Schon gut. Ich nehme die Einladung mit der größten
Freude an. Mein Laddie! Er ist jetzt 43 Jahre alt.»

Dr. Clark, wieder in London, empfing Hammerton. Ehe
Hammerton zu Wort kam, sagte Dr. Clark: «Die Reise ist
gesichert. Kapitän Koster rüstet die ‹Arend› aus.»

«Ich habe mich entschlossen mitzukommen.»

«Das freut mich, für Sie und für mich.»

Gerne hätte Dr. Clark Herrn Anwalt Utterson dabeigehabt. Der Anwalt war ihm seit '86 bekannt. Aber Dr. Clark wußte, daß Utterson unzugänglich war und düster wirkte. Er mußte auch die enge Freundschaft bedenken, die Utterson mit Herrn Enfield verband. Enfield war im Unterschied zu Utterson ein Lebemann. Die beiden Herren gingen jeden Sonntag miteinander spazieren; es hieß, daß sie meist schweigend ausschritten.

Hätte Dr. Clark Herrn Utterson gefragt, ob er an der Reise teilnehmen wolle, so hätte er zweifellos auch Herrn Enfield fragen müssen.

Utterson war seinerzeit durch Louis in eine fatale Geschichte verwickelt gewesen, die auch Enfield berührt hatte.

War es nur die abweisende Art von Utterson, die Dr. Clark zögern ließ? Oder glaubte er, Utterson werde vielleicht nicht gerne an diese Geschichte erinnert. Dr. Clark konnte sich darüber nicht klarwerden.

Aber Dr. Clark wollte unbedingt Louis' Cousin Bob dabeihaben. Er kannte Bobs Kunstkritiken aus der Pall Mall Gazette und schickte die Einladung zur Schiffsreise an die Adresse der Redaktion. Bobs Antwort kam vom Department für Kunstgeschichte am University College Liverpool: Eine großartige Idee sei das. Louis wiederzusehen scheue er keine Mühe. Er wolle nur seine Frau Harriet davon überzeugen, daß sie sich eine Weile alleinfühlen müsse. Urlaub vom College werde er bekommen. «Haben Sie auch an Charles Baxter gedacht? Ohne Baxter ist die Runde nicht komplett. Er ist Richter, aber er wird es verschmerzen, eine Zeitlang keine Verbrechervisagen zu sehen. Baxters Adresse anbei.»

Charles Baxter antwortete postwendend. Es verstehe sich von selbst, daß er Louis sehen wolle. Die Gelegenheit komme wie gerufen. «Fragen Sie auch den alten Freund und ‹Seebären› Walter Simpson, korrekt gesagt: Sir Walter Simpson, der '78 mit Louis eine Kanufahrt bestanden hat von Antwerpen bis in die Oise.»

Von Sir Walter Simpson kam keine Antwort. Dr. Clark fragte sich, ob er einen Fehler begangen hatte. Hielt Simpson die Einladung für einen Scherz? Oder war er gar krank?

Beim Anblick der «Arend» verschlug es Dr. Clark die Sprache. Das alte Schiff – ein Schmuckstück. Kapitän Koster hatte offensichtlich alle Mühe darauf verwendet, die «Arend» aufs beste instandsetzen und ausrüsten zu lassen.

Kapitän Koster empfing Dr. Clark und wies mit kaum verhohlener Zufriedenheit auf das Deck. «Admiral Roggeveen hätte seine Freude an seinem Schiff. Ich habe zehn Kammern für die Gäste eingerichtet, und ich hoffe, daß es an nichts mangeln wird. Sie und die Gäste speisen in der Offiziersmesse.»

«Wir werden zusammen mit Behrens sechs sein», sagte Dr. Clark, «nämlich Frau Cunningham ...»

«Eine Frau? Auf dieser langen und beschwerlichen Reise?»

«Sie ist von altem Schrot und Korn, Herr Kapitän. Dann: ein Cousin meines fernen Freundes, außerdem Herr Baxter und schließlich Herr Hammerton.»

Als nächster traf Behrens in Amsterdam ein, Kapitän Koster begrüßte ihn für seine Verhältnisse überaus herzlich. «Mein alter Milizkommandeur von damals! Aber diesmal sind Sie Passagier und können die Reise genießen. Kommen Sie, ich zeige Ihnen Ihre Kammer. Danach können Sie sich in aller Ruhe das Schiff ansehen, die Mannschaft inspizieren und die Kanonen. Natürlich alles als Privatmann!»

Kapitän Koster hatte die «Arend» mit 111 Mann Besatzung ausgerüstet und mit 36 Kanonen bestückt, genau wie bei der Fahrt damals. Behrens war beeindruckt. Er fühlte sich natürlich an früher erinnert, konnte es aber schätzen, daß er diesmal keine Verantwortung als Offizier tragen mußte.

Zu Dr. Clark sagte Behrens, er sei froh, daß Kapitän Koster das Schiff ausreichend gegen Angriffe gewappnet habe.

«Angriffe?» Dr. Clark stutzte.

Aber da war Behrens schon weiter. Er interessierte sich jetzt für die Beiboote.

Am Tag darauf gegen 11 Uhr wurde Dr. Clark durch einen Matrosen zu Kapitän Koster gerufen. Koster stand da mit einer älteren Frau, die Dr. Clark aus der Entfernung als Frau Cunningham erkannte. Sie gestikulierte heftig und redete auf Koster ein. Dr. Clark hatte die beiden noch nicht erreicht, als er Frau Cunningham schon sagen hörte: «Auf diesem Seelenverkäufer soll ich über das Meer zu meinem Louis gelangen?»

Dr. Clark trat hinzu, und Kapitän Koster hob hilflos die Hände.

«Da sind Sie ja endlich!», sagte Frau Cunningham zu Dr. Clark. «Sie haben mir nichts davon gesagt, daß das Schiff so ein Pott ist, der bei dem nächsten Wind auseinanderfällt. Und vom Segeln war auch nicht die Rede. Wie lange soll denn das dauern, wenn Windstille herrscht …»

«Wenigstens fällt der Kasten bei Windstille nicht auseinander», sagte Dr. Clark. «Aber im Ernst: Beruhigen Sie sich doch bitte, Frau Cunningham …»

«Ich beruhige mich, wann ich will. Jedenfalls nicht, wenn ich die Gesichter dieser Matrosen sehe, lauter Taugenichtse und Halsabschneider…»

«Aber ich bitte Sie …»

«Ich soll mich in die Hände dieses Gesindels geben? Lieber …»

«Sie kennen diese Leute doch gar nicht!»

«Sehr richtig! Und was sollen die vielen Kanonen? Will uns der Herr Kapitän in eine Seeschlacht verwickeln? Ich danke.»

«Sie wollen doch Louis wiedersehen.»

«Ja. Ich will meinen Smout an mein Herz drücken. Dafür muß ich auf einem brüchigen Kahn inmitten von Trunkenbolden eine waghalsige Seereise unternehmen, und niemand weiß, ob ich ankomme. Angenommen, wir werden von Piraten aufgebracht, und ich die einzige Frau an Bord ...»

«Gegen Piraten haben wir die Kanonen. Und 111 Mann Besatzung. Das sind nicht nur Matrosen, das sind in der Mehrzahl Soldaten.»

«Das kann ja heiter werden.»

«Erlauben Sie, daß ich Sie zu Ihrer Kammer bringe?»

«Ich erlaube Ihnen gar nichts. Bringen Sie mich gefälligst zu meiner Kammer. Und einer dieser Galgenvögel soll mir meine Koffer tragen.»

Bob und Baxter hatten sich für die Reise nach Amsterdam zusammengetan und kamen gemeinsam an Bord. Dr. Clark lief ihnen über den Weg. «Ich freue mich, daß Sie ...»

Baxter schlug ihm auf die Schulter und sagte: «Hallo, alter Junge. Die Schaluppe gefällt mir. Aber verraten Sie uns eines: Welchen Scotch hat der Kaptän gebunkert? Die Reise ist lang. Unser eigener Vorrat wird nicht reichen.»

«Ich erkundige mich. Jetzt bringe ich Sie erst einmal zu Ihren Kammern.»

«Die müssen nebeneinanderliegen», sagte Bob.

Als Dr. Clark zurückkam, trat ihm Frau Cunningham in den Weg. Sie sagte: «Ich habe sehr wohl gehört, wer da gelärmt hat. Ich kenne die beiden Herren. Diese Trunkenbolde wollen Sie zu Louis bringen? Das ist gar nicht gut. Diese beiden haben Louis schon als Studenten zu Tollerei und Ausschweifung angestiftet.»

«Verzeihen Sie, Frau Cunningham, der eine ist Richter, der andere Professor.»

«Richter hin, Professor her. Tunichtgut bleibt Tunichtgut.»

Als letzter Passagier kam der junge Hammerton an Bord. Dr. Clark sagte: «Sie haben wenig Gepäck für die lange Reise.»

«Was brauche ich schon. Das wichtigste sind meine Schreibhefte. Die Wäsche und Kleider kann ich hier waschen lassen.»

Dr. Clark nutzte die Zeit bis zur Abreise, um in Amsterdam ein Cembalo zu kaufen und auf das Schiff bringen zu lassen.

Baxter beobachtete, wie das Cembalo an Bord gehievt wurde. Er sagte zu Dr. Clark: «Wollen Sie uns zum Tanz aufspielen? Zum Tanzen bedürfte es junger Damen. Was wir antreffen, ist die alte Cunningham.»

Dr. Clark sagte: «Ich möchte die lange Zeit zwischen damals und heute mit Musik überbrücken.»

«Damals?»

«Als die ‹Arend› unter Kapitän Koster jene Fahrt unternahm, die wir jetzt wiederholen.»

«Deshalb der alte Kahn?»

«Deshalb.»

«Ihrem Spiel würde ich gelegentlich gerne zuhören.»

Behrens und Hammerton traten hinzu. Behrens sagte: «Ich habe die Vorräte inspiziert. Kapitän Koster hat diesmal gründlicher gegen Scharbock vorgesorgt. Eine ganze Hahnenfuß-Pflanzung hat er angelegt.»

«Scharbock?» fragte Hammerton.

Dr. Clark sagte: «Skorbut.»

Hammerton, gegen Behrens gewandt, sagte: «Aber gegen Skorbut ...»

Dr. Clark schnitt ihm das Wort ab: «Lassen Sie es gutsein.»

Die «Arend» lichtete die Anker. Es war 6 Uhr morgens. Kapitän Koster hatte über die Toppen flaggen lassen. Er ließ Segel setzen, und die «Arend» glitt langsam aus dem Hafen. Trotz der frühen Stunde standen die Passagiere an der Reling.

Dr. Clark hielt Frau Cunningham für gutgelaunt. Ihr

schienen der klare Himmel und die frische Luft zu gefallen. Sie bemerkte Dr. Clarks Blick und sagte: «Ich weiß nicht, wie ich die stickige Kammer ertragen soll. Die ersten drei Nächte waren eine Qual. Wie wird das erst in anderen Breiten werden.»

«Ich lasse Ihnen einen Liegestuhl an Deck bringen.»

«Soll ich im Freien übernachten?»

Bob stand einige Meter abseits, hielt in der Armbeuge einen Skizzenblock und zeichnete die Amsterdamer Silhouette.

Der junge Hammerton hörte Behrens zu. Behrens trug einen Dreispitz. Er hatte ein Seidenhemd mit Stehbündchen, einen silberbetreßten Schoßrock und Kniehosen über weißen Strümpfen an. Dazu schwarze Schnallenschuhe. Eingedenk der Ermahnung oder Warnung Dr. Clarks zeigte Hammerton seine Verwunderung nicht.

Behrens überragte Hammerton um Kopfeslänge. «Auf der vorigen Reise war die ‹Arend› unser Admirals-Schiff», sagte er. «Admiral Roggeveen hatte dem Schiff den Namen seines Vaters gegeben, eines Mathematikers, Astronomen und Seefahrtskundlers, von dem ein stattlicher Atlas stammt. Admiral Roggeveen war von Hause aus Jurist. Er hielt sich lange in Ostindien auf und wurde in Batavia Mitglied des Obersten Gerichts. Er kehrte nach Holland zurück und bereitete seine Expedition vor.»

«Ich habe noch nie etwas von Admiral Roggeveen gehört», sagte Hammerton.

Die Zuidersee war ruhig, es schien die Sonne. Dr. Clark ließ sechs Liegestühle an Deck bringen. Bob und Baxter machten es sich als erste bequem. Frau Cunningham kam nicht aus ihrer Kammer. Behrens stand mit Kapitän Koster auf der Brücke. Hammerton setzte sich neben Dr. Clark.

Hammerton sagte: «Es ist unleugbar schön, über die Zuidersee zu segeln. Aber warum fährt Koster nicht auf dem Nordsee-Kanal. Der Weg wäre kürzer: von Amsterdam bis Ijmuiden 27 Kilometer. Statt dessen dieser Umweg.»

«Koster weiß nichts vom Nordsee-Kanal. Den gab es seinerzeit noch nicht.»

«Na schön. Ich lasse mich treiben.»

Am späten Vormittag ging Dr. Clark in seine Kammer und setzte sich ans Cembalo. Die Töne gingen durch das ganze Schiff und auf das Meer hinaus. Mancher Matrose hob den Kopf, um zu lauschen, ob die Töne vom Wind aus der Höhe herangetragen würden. Behrens hätte darauf schwören mögen, die Töne schon einmal gehört zu haben: damals.

Während der Mittagsmahlzeit erhob sich Kapitän Koster und sagte, er heiße die Dame und die Herren herzlich willkommen. Er freue sich darüber, daß sie sich entschlossen hätten, die große Reise, die beschwerlich, manchmal sogar gefährlich sei, mit ihm als Kapitän zu unternehmen. Er bezeuge in seiner Person, daß die Fahrt gesund zu bestehen sei. Er wolle sich des gottseligen Admirals Jacob Roggeveen als würdig erweisen und jetzt in dessen, wenn er das als Seemann sagen dürfe, Fußstapfen treten.

Mit einem Blick auf Behrens fuhr er fort: Das eben sei die Natur solcher Seefahrer: die Welt zu entdecken und zu erobern.

Hammerton blickte fragend zu Dr. Clark, der ihm gegenübersaß. Aber der wich Hammertons Blick aus.

Koster sagte, übrigens brauche sich niemand vor Piraten oder Eingeborenen zu fürchten. Schließlich sei die «Arend» bestens gerüstet.

Wieder sah Hammerton zu Dr. Clark hinüber, der seinen Blick jetzt senkte.

Koster hob sein Glas und sagte: «Ich wünsche Ihnen Gesundheit und erbitte für Sie Gottes Segen.»

Alle hoben ihr Glas. Koster setzte sich und aß weiter.

Baxter sagte zu Dr. Clark: «Ich habe mit großem Vergnügen Ihrem Spiel zugehört. Es ist ungewöhnlich.»

«Ach, wissen Sie. Ich wollte Musiker werden. Aber mein Vater hielt davon nichts. Er befahl mir, Medizin zu studieren. ‹Ergreife einen Beruf, von dem du leben kannst›, sagte er, ‹Musik kannst du nebenbei machen.› So kam es.»

«Wenn ich mich nicht täusche, haben Sie etwas von George Frideric Handel gespielt.»

«Sie kennen sich aus! Ich habe versucht, die Sarabande aus der Cembalo-Suite Nummer 7 zu spielen.»

«Sagen Sie nicht ‹versucht›.»

«Dochdoch. Die anderen Sätze beherrsche ich gar nicht.»

Endlich, drei Tage nach der Ausfahrt aus dem Hafen von Texel, hatte die «Arend» den Kanal passiert.

Behrens sagte zu Hammerton: «Damals war der Wind uns auch ungünstig. Wir mußten drei Tage lang zwischen England und Frankreich zubringen und bald nach der einen, bald nach der anderen Küste wechseln. Sie haben es gesehen: Der Kanal ist ein gefährliches Fahrwasser. Man muß auf der Hut sein, um nicht Schiff und Gut, vielleicht sogar das Leben zu verlieren.»

«Aber Kapitän Koster ...»

«... ist ein erprobter Seemann. Deshalb hat Admiral Roggeveen ihn zum Kapitän der ‹Arend› gewählt.»

«Frau Cunningham hat gesagt: ‹Ich habe den Kanal schon schneller durchquert›.»

«Ich frage mich, ob Frau Cunningham etwas von den Windverhältnissen versteht».

«Ich glaube, sie meinte ein anderes Schiff ...»

«Wäre es auch diesmal nach Admiral Roggeveen gegangen, dann hätte Koster keine Frau an Bord genommen.»

«Auch keine ...»

«Überhaupt keine. Aber Dr. Clark hat es gewollt, daß Frau Cunningham mitfährt, und Koster ist ihm gefolgt.»

Kapitän Koster bat Dr. Clark zu sich und sagte, Dr. Clark möge Charles Baxter und Bob gefälligst ermahnen.

Dr. Clark erwiderte: «Aber Herr Kapitän, ich bitte Sie. Wenn Sie das für nötig erachten, also, ich bin auch nur ein Passagier. Sie sind der Kapitän.»

«Also gut», sagte Koster.

Er redete mit Charles Baxter und Bob: die Herren mögen tunlichst vermeiden, was ihm von mehreren Seiten zu Ohren gekommen. Schließlich stehe auf einem Schiff die Disziplin der Mannschaft an oberster Stelle.

«Nicht die Sicherheit?» fragte Bob.

Kapitän Koster sagte unbeeindruckt, es sei an ihm, streng über die Einhaltung der Disziplin zu wachen. Im übrigen seien die Matrosen keinen Whisky gewöhnt. Sie tränken normalerweise Bier, glaube er.

Baxter sagte: «Mein lieber Koster! Sie unterschätzen Ihre Mannen.»

Hammerton blickte über das Schiff, konnte aber nirgends eine Antenne entdecken. Er fragte einen Matrosen: «Wo ist die Funkkabine?»

Der Matrose sah Hammerton groß an: «Die was? Fragen Sie einen Offizier.»

Der Offizier, ein Holländer, sagte zu Hammerton: «Was suchen Sie?»

«Die Funkstation.»

Der Offizier versuchte zu verstehen, was Hammerton gemeint haben könnte. «Sie meinen Leuchtzeichen?»

«Neinnein.»

Hammerton ging zu Dr. Clark. «Es gibt keinen Telegraphen an Bord. Was ist, wenn wir Hilfe brauchen? Wie soll ich meine Briefe an die Redaktion schicken? Etwa mit Rauchzeichen?»

«Haben Sie noch nicht begriffen? Ich habe Ihnen in London gesagt, daß Sie Ihre Briefe in jedem Hafen auf die Post geben können.»

Kapitän Koster stellte den Kurs auf Südwest. In der Spanischen See kündigte sich Sturm an. Alles, was nicht niet- und nagelfest war, mußte von Deck geräumt werden, zuallererst die Liegestühle. Kapitän Koster befahl den Passagieren, in ihren Kammern zu bleiben, bewegliche Gegenstände zu verstauen oder festzubinden und nicht zu stehen oder zu gehen. Dr. Clark band als erstes sein Cembalo fest.

Der Wind kam von West und der Sturm wurde entsetzlich. Es brach die Kreuzstange, die sich am hinteren Mastbaum befindet. Und es brach die Rahe am Großen Mastsegel; davon wurden viele Matrosen verletzt. Dr. Clark half bei der Versorgung der Verletzten. Hammerton fragte ihn, ob es keinen Schiffsarzt gebe.

«Nein.»

«Mehr als 100 Mann Besatzung, dazu sechs Passagiere und keinen Schiffsarzt. Das ist unglaublich.»

Behrens war während des Sturms viele Stunden bei Kapitän Koster auf der Brücke gewesen.

Charles Baxter und Bob hatten auf ein vorgeblich bewährtes Mittel gesetzt – den Whisky. Sie kamen nach dem Sturm aus Baxters Kammer und schwankten.

Frau Cunningham hatte den Sturm in der Koje zugebracht. Sie sagte, Sturm mache ihr nichts aus. Sie empfinde das Auf und Ab als angenehm.

Erst nach zwei Tagen hatte sich die See beruhigt, und die zerbrochenen Hölzer konnten repariert werden.

Auch die regulären Mahlzeiten wurden wieder eingenommen: Kaffee um sieben Uhr morgens, Mittagessen um zwölf Uhr, Tee um fünf, Abendessen um acht.

Charles Baxter und Bob hatten schon am ersten Tag beklagt, daß Kapitän Koster das Rauchen nur in der Offiziersmesse zuließ. Sie rauchten nach jeder Mahlzeit Zigarillos, und jedesmal rümpfte Frau Cunningham die Nase. Bob sagte: «Sie sollten es gewöhnt sein. Wenn ich daran denke, wie stark Louis raucht.»

Frau Cunningham antwortete: «Das ist etwas anderes.»

Beim Abendessen sagte Frau Cunningham: «Die schottische Küche hat mich nicht verwöhnt, aber ich bin es leid, die Künste des Schiffskochs länger zu goutieren. Gibt es an Bord nichts anderes als Sauerkraut, gepökeltes Fleisch, Salzheringe, Stockfisch und Dörrobst?»

Charles Baxter sprang ihr bei: «Das Bier und der Wein sind schauerlich.»

Frau Cunningham sagte: «Ich trinke weder Wein noch Bier. Ich trinke Wasser. Aber wann wurde es geschöpft? Und wo? Ich muß bei jedem Schluck den Atem anhalten, damit ich es nicht rieche.»

Und zu Bob gewandt: «Was die Raucherei angeht – das wissen Sie doch, daß Louis immer gekränkelt hat. Nicht nur als Kind. Auch als Erwachsener; er mußte manchmal wochenlang im ‹Bettdeckenland› leben. Während Sie sich ausgetobt haben.»

«Übertreiben Sie nicht.»

«Louis hat Medikamente eingenommen, Sie haben Whisky geschluckt. Louis mußte bei offenem Fenster nach frischer Luft schnappen, Sie haben in verräucherten Pubs Ihre Zigarren eingeatmet …»

«Den Rauch …»

«Louis wollte wie Sie leben, aber das konnte er auf dem Krankenlager nicht. Ist es da verwunderlich, daß er alles nachgeholt hat, wenn er wieder aufstehen konnte? Er hat dann um so stärker geraucht, und getrunken hat er auch.»

Dr. Clark sagte leise etwas zu Charles Baxter, verließ die abendliche Tischrunde, ging in seine Kammer und band das Cembalo los. Es war durch den Sturm nicht beschädigt worden. Er schlug ein Notenheft auf und spielte.

Nach einigen Sekunden verstummte die Tischrunde und hörte zu. Auch nach Dr. Clarks Spiel schwiegen alle.

Als erster sprach Kapitän Koster: «Ich habe das noch nie gehört.»

«Das können Sie noch nicht gehört haben», sagte Baxter. Koster blickte halb gekränkt, halb neugierig zu Baxter. Der sagte: «Beethoven.»

Zu Hammerton sagte Baxter: «Das Adagio aus der Klaviersonate Nummer 17, ‹The Tempest›.»

«Respekt!» erwiderte Hammerton.

«Das hat mir Dr. Clark verraten, vorhin.»

Frau Cunningham sagte: «Es ist mir ein Rätsel, wie Dr. Clark bei diesen erbärmlichen Ölfunzeln Noten lesen kann.»

«Vielleicht spielt er auswendig», bemerkte Baxter.

Frau Cunningham fuhr fort: «Ich kann bei diesem sogenannten Licht meine eigene Schrift nicht entziffern.»

«Vielleicht haben Sie unleserlich geschrieben», sagte Baxter.

«Es gibt bessere Lampen», sagte Frau Cunningham. «Jedenfalls in Schottland. Sogar auf den Straßen.»

Bob sagte: «Wie weit sind die Straßenlaternen Edinburghs von Admiral Roggeveen entfernt. Man sollte die Verhältnisse nicht überspannen.»

Es schien, als lächelte Kapitän Koster erleichtert.

Die «Arend» nahm west-südwestlichen Kurs auf die Kanarischen Inseln. Das Wetter war gut. Die «Arend» kam in Fahrt.

Die Passagiere standen oft lange an der Reling und beobachteten Scharen fliegender Fische. Manche Fische fielen sogar auf Deck. Frau Cunningham sagte, die fliegenden Fische sähen ekelhaft aus. Behrens bemerkte: «Vielleicht gefällt es Ihnen nicht, daß die Brustflossen wie die Flügel der Fledermaus aussehen. Aber dieser Fisch gleicht dem Hering und schmeckt gut. Die Seeleute nennen ihn den König der Fische.»

Die «Arend» erreichte die nördliche Breite von 28 Grad. Kapitän Koster wähnte, in der Nähe der Kanarischen Inseln zu sein. Land war nicht in Sicht. Aber die Wache aus der Spitze des Mastbaums rief, es sei ein Schiff zu sehen. Das Schiff näherte sich und zeigte die englische Flagge. Es mußte die Flagge der «Arend» erkannt haben, zog die englische ein und segelte weg.

Nach einer Stunde kam es zurück und zeigte abwechselnd eine rote und eine weiße Flagge.

Kapitän Koster sagte: «Seeräuber!» Behrens, der sich auf der Brücke aufhielt, nickte nur. Obwohl Behrens selber ein Passagier war, sagte Kapitän Koster zu ihm: «Kümmern Sie sich um die Passagiere, bitte!»

Koster befahl, die «Arend» auf den Angriff vorzubereiten. Er ließ die Untersegel aufziehen und die Mastsegel halb herunterstreichen. Sämtliche Hängematten samt Bettzeug kamen in die Finkennetze. Die Kanoniere legten Kugeln bereit.

Behrens bat Dr. Clark, Bob, Baxter, Hammerton und Frau Cunningham, die sich allesamt auf Deck aufhielten, in ihre Kammern zu gehen. «Es wird einen Kampf geben», sagte Behrens. Frau Cunningham sagte: «Das kann doch nicht wahr sein! Seeräuber! Vor den Kanaren! So etwas gibt es doch heutzutage gar nicht mehr!»

Bob, der bemerkt hatte, daß Behrens und Dr. Clark einander ansahen wie Verschwörer, sagte zu Frau Cunningham: «Alles ist jetzt!»

Frau Cunningham, auf dem Weg in ihre Kammer, meinte zu Baxter: «Louis würde es gefallen.»

Kapitän Koster manövrierte die «Arend» in eine vorteilhafte Position; er schnitt den Seeräubern den Wind ab, so daß der Pulverdampf über ihr Schiff treiben mußte. Sie wurden gezwungen, den Kampf im Nebel aufzunehmen.

Die Seeräuber zogen eine schwarze Flagge auf, die ein Stundenglas, einen Totenkopf und gekreuzte Totengebeine zeigte. Die «Arend» feuerte ihre Steuerbordseite ab, und die Schiffswand der Seeräuber wurde schwer getroffen. Aber die Kanonen der Seeräuber trafen auch die «Arend». Der nächste Schlag der «Arend» traf die Takelage der Seeräuber. Nach diesem Treffer hatten die Seeräuber Mühe, ihr Schiff aus der Schußlinie zu manövrieren. Es gelang ihnen, und sie machten sich davon.

Kapitän Koster sagte: «Sollen sie meinetwegen verschwinden.»

Auf der «Arend» waren vier Seeleute getötet und neun verwundet worden. Einer der Toten war ein Quartiermeister.

Frau Cunningham kam an Deck, sah Tote und Verwundete, und sah, daß die Bordplanken auf der Steuerbordseite stark beschädigt waren. Sie schrie Kapitän Koster an: «Schuld daran ist Ihr Schiff! Es lockt Seeräuber an.»

Dr. Clark, der schon die Verwundeten behandelte, sagte: «Beruhigen Sie sich. Es liegt an der Zeit.»

Frau Cunningham wollte von Kapitän Koster wissen, wann die «Arend» die Kanaren anlaufe.

«Gar nicht», sagte Koster.

Frau Cunningham drehte sich abrupt um und sah aufs Meer. Dr. Clark ging zu ihr. «Frau Cunningham, bitte hören Sie mir zu.»

«Sie hätten mich auf die Gefahren aufmerksam machen müssen!»

«Wie hätte ich das tun können. Ich kannte die Gefahren selber nicht.»

«Wir werden alle sterben, ohne Louis wiederzusehen.»

«Um Gottes willen, nein! Ich möchte, daß wir uns mit Behrens, Bob, Baxter und Hammerton unterhalten, wie es weitergehen soll.»

«Behrens! Das ist ein rücksichtsloser Soldat. Er steckt mit Kapitän Koster unter einer Decke. Diese beiden Herren pfeifen auf uns.»

«Ich bitte Sie.»

«Bob und Baxter! Zwei Säufer, denen alles gleichgültig ist, wenn sie nur Whisky auf Lager haben. Und Hammerton. Was soll dieser Hänfling schon sagen. Er redet Ihnen doch nach dem Mund.»

«Liebe Frau Cunningham. Lassen Sie uns beim Tee über alles reden.»

«Beim Tee! Das ist kein Tee, das ist ein Brechmittel. Aber bitte. Ich habe schon oft Gespräche geführt, bei denen nichts herausgekommen ist. Warum nicht noch einmal.»

«Heute nachmittag?»

«Meinetwegen.»

Frau Cunningham ging in ihre Kammer zurück.

Dr. Clark und Behrens sprachen mit Kapitän Koster über die Bestattung der getöteten Seeleute. Die drei waren sich schnell darüber einig, daß Frau Cunningham, Bob, Baxter und Hammerton am Nachmittag gefragt werden sollten, ob sie an der Zeremonie teilnehmen wollten. Koster sagte beiläufig zu Dr. Clark, als Kapitän sei er von Anfang an dagegen gewesen, Frau Cunningham mitzunehmen auf die Seereise.

Alle neun Verwundeten waren nur leicht verletzt.

Jetzt mußten sich die Zimmerleute daranmachen, die zerschossenen Bordplanken zu reparieren.

Beim Tee sagte Dr. Clark, er, der die Idee zu dieser Schiffsreise gehabt habe, sei der Ansicht, es müsse angesichts der Seeräuber über den Fortgang der Reise gesprochen werden.

«Seien Sie genau», sagte Hammerton. «Der Fortgang

der Reise steht fest. Es fragt sich allerdings, ob man an der Reise noch teilnehmen will.»

Die «Arend» hatte mittlerweile Kurs auf Madeira genommen.

Charles Baxter sagte: «Wir alle wollen Louis wiedersehen. Deshalb sind wir der Einladung von Dr. Clark gefolgt ...»

«Aber er hat mir nicht gesagt, daß ich diesen Seelenverkäufer betreten soll und von Piraten angefallen werde», warf Frau Cunningham ein.

Charles Baxter meinte: «Es muß natürlich nicht die ‹Arend› sein. Man kann ein anderes Schiff ...»

«Das möchte ich», sagte Frau Cunningham.

«Dazu müßte man wissen, wo die ‹Arend› unterwegs anlegt. Und ob es von dort eine andere Schiffsverbindung gibt», sagte Baxter.

«Wie soll man eine andere Schiffsverbindung herausfinden, wenn die ‹Arend› keine Funkstation besitzt», fragte Hammerton.

Bob sagte: «Wenn die ‹Arend› irgendwo anlegt, dann fragt man dort nach einem anderen Schiff. Und wenn es keines gibt, geht man zurück auf die ‹Arend›.»

«Also», sagte Frau Cunningham, «wo legt die ‹Arend› an?»

«Bedenken Sie, Frau Cunningham, daß Sie auf der ‹Arend› Gast von Dr. Clark sind. Weite Schiffsreisen kosten viel Geld», sagte Charles Baxter.

«Sorgen Sie sich nicht um meine Zahlungsfähigkeit», erwiderte Frau Cunningham.

Behrens, der von seiner ersten Fahrt mit der «Arend» wußte, daß das Schiff vor der Atlantik-Überquerung nirgendwo mehr anlegen würde, sagte kein Wort.

Hammerton meinte: «Auch ich hätte gerne gewußt, wo und wann wir unterwegs noch vor Anker gehen. Nicht, weil ich von Bord gehen will, sondern weil ich Briefe auf die Post geben möchte.»

Bob sagte: «Egal, ob wir irgendwo anlegen. Ich bleibe auf der ‹Arend›.»

«Das wollte ich gerade auch von mir sagen», sagte Charles Baxter. «Aber wir müssen Kapitän Koster fragen.»

Charles Baxter fragte Behrens, ob er Koster bitten könne, zum Tee herüberzukommen. Behrens machte sich auf den Weg.

Es dauerte eine Weile, bis Koster kam. Behrens folgte ihm.

Koster sagte: «Herr Behrens hat mir berichtet, daß Sie wissen möchten, wo die ‹Arend› unterwegs anlegt. Man kann es beim besten Willen nicht voraussagen.»

Frau Cunningham sagte: «Nicht auf Madeira?»

«Nein.»

«Ich bin in eine Falle getappt», sagte Frau Cunningham. «Wie lange soll denn diese Fahrt dauern. Wir sind noch nicht einmal bis Madeira gekommen. Das ist doch einfach lächerlich, heutzutage.»

Niemand sagte etwas.

Kapitän Koster bemerkte nebenher, um 6 Uhr würden die Toten der See übergeben. Dann verließ er die Runde.

Hammerton fragte Frau Cunningham: «Wann haben Sie Louis zuletzt gesehen?»

«Gesehen und gesprochen? Oder nur gesehen.»

«Gesehen und gesprochen.»

«Als ich ihn zuletzt sah, habe ich nicht mit ihm gesprochen. Ich bin zum Hafen gegangen und habe beobachtet, wie er mit seiner Madam und mit seiner Mutter an Bord ging. Das ist noch gar nicht so lange her, ungefähr sieben Jahre. Er hat mich am Hafen nicht gesehen.»

Bob sagte: «Es ist 6 Uhr.»

Alle gingen an Deck.

Das Deck war von Matrosen und Soldaten überfüllt. Bis mittschiffs gab es kein Durchkommen mehr.

Kapitän Koster stand nahe der Reling. Die vier Toten, in Segeltuch eingenäht, lagen zu seinen Füßen.

Die Rahen standen in einem Kreuz zueinander, das Schiff war außer Fahrt gesetzt. Die Flagge wehte auf halbmast.

Kapitän Koster nahm die Mütze ab, Matrosen und Soldaten nahmen die Mützen ab.

Kapitän Koster betete das Vaterunser, alle fielen in das Gebet ein. Kräftige Matrosen hoben die Toten nacheinander auf ein Brett und setzten sie über Bord.

Bald kam die Insel Madeira in Sicht. Obwohl man sich dort gut hätte erholen können, segelte Kapitän Koster an der Insel vorbei. Aus der Ferne bietet Madeira einen schönen Anblick.

Die «Arend» nahm südwestlichen Kurs. Sie kam in einen beständigen Nordostwind und nahm so gute Fahrt auf, daß die Mannschaft sechs Wochen lang weder Taue noch Segel anzurühren brauchte.

Aber die Hitze machte allen zu schaffen, und mancher kam mit seiner Wasserration nicht aus. Sogar Dr. Clark klagte über Durst. Frau Cunningham sagte zu ihm: «Ich komme gut mit meiner Ration aus, weil das Wasser stinkt.»

Behrens sagte beim Abendbrot: «Ein holländischer Schiffsjunge hat seinen Durst über einem Branntweinfaß gelöscht. Berauscht ging er in die Kombüse und stieß absichtlich eine große Schüssel voller Fleischfett um. Der Koch schrie: ‹Du Spitzbube, ich breche dir den Hals!›

Der Schiffsjunge griff nach seinem Messer und schrie: ‹Ich stech dich ab!› Er stach nach dem Koch und brachte ihm mehrere Schnitte in die Wangen bei.

Inzwischen waren Matrosen in die Kombüse geeilt; sie nahmen dem Jungen das Messer ab und verprügelten ihn so heftig, daß er vor Wut zu einer hinteren Treppe raste und hinunterfiel. Am Fuß der Treppe kriegte er ein zweites Messer zu fassen, mit dem er sich in den Leib stach.»

«Und nun?» sagte Bob.

«Er mußte verbunden werden.»

Frau Cunningham sagte: «Dieser Schiffsjunge mag ein Tunichtgut sein.

Aber der Koch, nach seiner Physiognomie zu urteilen, ist auch kein Unschuldslamm.»

«Da mögen Sie recht haben», sagte Behrens.

Die Reisenden erblickten die Insel Boa Vista. Behrens sagte: «Es heißt, dort sei die Erde aus Eisen und der Himmel aus Kupfer.»

«Wieso», fragte Bob.

«Es regnet dort selten.»

Von Deck waren gellende Schreie zu hören.

«Was ist das», fragte Frau Cunningham.

«Heute wird der Schiffsjunge bestraft, der Messerstecher», sagte Behrens. «Wir dachten, er käme von der Stichwunde, die er sich beigebracht hat, zu Tode. Aber er hat sich wieder aufgerappelt. Wahrscheinlich schreit er, weil ihm ein Tau um den Leib gebunden wird.»

«Warum das», fragte Bob.

«Er wird heute gekielholt. Man bindet ihm auch Kanonenkugeln an die Füße, damit er tief genug ins Wasser gezogen wird und nicht an den Kiel stößt.»

«Hören Sie auf!», sagte Frau Cunningham. «Ich weiß, was Kielholen ist. Die armen Kerle schneiden sich an den scharfkantigen Muscheln auf, die am Schiff sitzen, oder sie brechen sich Arme und Beine, oder sie ertrinken.»

Behrens sagte: «Kapitän Koster hat befohlen, daß der Bursche dreimal gekielholt wird …»

«Das ist barbarisch», sagte Frau Cunningham.

«Aber das ist noch nicht alles.»

«Ich will nichts mehr hören», sagte Frau Cunningham.

Bob ging an Deck. Dr. Clark ging mit. Sie wollten das Kielen nicht sehen und blieben abseits stehen. Sie wollten wissen, ob der Schiffsjunge die Prozedur überlebt.

Bob sagte: «Ich möchte auch wissen, was danach mit dem Jungen geschieht.»

«Keine Ahnung.»

«Es gibt doch auf dem Schiff keinerlei medizinische Versorgung.»

«Ich will sehen, was ich tun kann», sagte Dr. Clark.

Charles Baxter und Hammerton ließen sich nicht sehen. Behrens hielt sich wahrscheinlich bei Kapitän Koster auf. Frau Cunningham hatte sich Watte in die Ohren gestopft und sich hingelegt.

Es war auffällig still an Deck. Als Bob und Dr. Clark glaubten, das Kielholen müsse ein Ende gefunden haben, gingen sie nach vorn. Sie sahen den Schiffsjungen auf den Planken liegen. Matrosen banden das Tau los, das er um den Leib hatte, und die Kanonenkugeln an seinen Füßen. Der Junge sah für Bob leblos aus. Dr. Clark sah aber, daß er atmete.

Zwei Matrosen legten den Jungen bäuchlings über einen Holzbock. Der Junge erbrach Wasser.

Zwei andere stellten sich zu seiten des Jungen auf. Sie hielten dünne Stöcke in der Hand und schlugen den Jungen abwechselnd auf das Gesäß.

Bob ging weg, Dr. Clark blieb.

Anfangs hatte der Junge nach jedem Schlag aufgeschrien, dann war er in sich zusammengesackt.

Bob kam nach einer langen Weile zurück. Er zählte noch elf Schläge.

Dr. Clark sagte: «Dreihundert hat er bekommen.»

Zwei Matrosen hoben den Jungen vom Holzbock und legten ihn bäuchlings am Mastbaum ab. Der größere Matrose hob den Arm des Jungen an und drückte ihn gegen den Mastbaum. Der kleinere Matrose zog ein Messer, stieß dem Jungen das Messer durch die Hand und nagelte ihn am Mastbaum fest. Der Junge stieß einen durchdringenden Schrei aus.

Frau Cunningham kam an Deck. Sie sagte zu Bob und Dr. Clark: «Das ist doch alles Mittelalter ...»

«18. Jahrhundert», korrigierte Dr. Clark sie.

Bob sagte: «Das Urteil des Kapitäns, die Vollstreckung durch die Matrosen – vollständig inakzeptabel.»

Die «Arend» passierte den Äquator. Zu dieser Zeit starb ein Mann der Besatzung am hitzigen Fieber. Einige Matrosen beschäftigten sich jeden Tag mit dem Fang von Delphinen, die dem Koch willkommen waren. Sogar Frau Cunningham sagte: «Sie schmecken gut.» Manchmal ging ein Hai ins Netz. Die Matrosen aßen ihn, den Passagieren war sein Geschmack widerlich.

Vier Wochen später sah man die brasilianische Küste. Kapitän Koster wollte die Insel Ilha Grande anlaufen. Aber er verfehlte sie um acht Meilen. Schließlich ging er bei der Insel Porco vor Anker.

«Ich verstehe nicht, wie ein erfahrener Kapitän die Insel Ilha Grande verfehlen kann», sagte Frau Cunningham. «Ich hätte gerne meinen Fuß an Land gesetzt nach dieser endlosen Tour über den Atlantik. Soviel ich weiß, teilt man sich auf Ilha Grande die unberührte Natur nur mit Schmetterlingen und Affen. Dort hätte ich mich gerne erholt.»

«Aber wo hätten Sie dort übernachten wollen. Bei den Tupinambá-Indianern?», sagte Baxter.

«Wollen Sie mir Angst machen?», erwiderte Frau Cunningham. «Die Indianer sind doch längst ausgerottet.»

Behrens sagte: «Kapitän Koster schickte vordem eine Schaluppe an die Küste, um Wasser und Lebensmittel zu besorgen. Auch sollte ein Matrose beerdigt werden. Aber ehe die Schaluppe den Strand erreicht hatte, stürmte ein Trupp Bewaffneter heran. Ich selber befehligte die Mannschaft der Schaluppe, und ich erkannte an den Gesten der Bewaffneten, daß sie auf uns feuern würden, wenn wir näherkämen. Wir zerrten den Toten hoch und zeigten ihn. Da ließen sie uns an Land und bestimmten eine Stelle, an der wir den Toten eingraben konnten.

Wir versahen uns mit Wasser, aber Lebensmittel fanden

sich keine. So kehrten wir zur ‹Arend› zurück. Immerhin gelang es auf Porco, Fische und Schildkröten zu fangen. Sie kamen auch unseren Kranken zustatten; wir hatten mehr als vierzig Leute, die am Scharbock daniederlagen. Auf Porco schöpften wir weiteres Wasser und schlugen reichlich Holz. Nach zwei Tagen segelten wir Richtung Südwest.»

Frau Cunningham verspürte keine Lust, auf Porco spazierenzugehen. Es genügte ihr, das frische Wasser zu genießen, das an Bord gebracht worden war.

Am nächsten Morgen ließ Kapitän Koster die Anker aufziehen. Der Kurs blieb Südwest, im Westen die brasilianische Küste vor Augen. Stundenlang stand Frau Cunningham an der Reling, um sich am Grün sattzusehen. Sie sagte: «Könnte doch Louis neben mir stehen.»

«Am Ende der Reise werden Sie neben ihm stehen», sagte Bob.

«Und wenn er nachts nicht schlafen kann, lese ich ihm Geschichten vor.»

«Schauergeschichten, meinen Sie.»

«Louis hat sie gemocht.»

Die «Arend» segelte weiter und ging im Hafen von São Sebastião vor Anker.

«Ein schönes Fleckchen Erde», sagte Dr. Clark. Er bat Kapitän Koster, drei Matrosen zu schicken, die Dr. Clarks Cembalo an Deck bringen sollten.

Behrens erzählte, die Portugiesen hätten die «Arend» seinerzeit trotz der holländischen Flagge für ein Seeräuberschiff angesehen. Admiral Roggeveen habe den ansässigen Gouverneur in einem Schreiben um die Überlassung von Vieh, Kräutern, Früchten, Wasser und Brennholz gebeten, gegen Bezahlung natürlich! Auch habe er darum ersucht, einige Häuser für unsere Kranken bereitzustellen. Aber nein! Der Gouverneur antwortete, er müsse erst dem Gouverneur von Rio de Janeiro Bericht geben. Admiral Roggeveen, unzufrieden mit dieser Antwort, habe zurückgeschrieben, falls er nicht auf friedlichem Wege Erfrischungen erhalte, werde er sie sich auf andere Art verschaffen.

Dr. Clark wies die drei Matrosen an, sein Cembalo vorsichtig an Deck zu tragen.

Unterdessen hatten sich Frau Cunningham und Hammerton zu Dr. Clark und Behrens gesellt.

«Wie ging die Sache weiter», fragte Dr. Clark.

«Wir bereiteten uns auf den Kampf vor», sagte Behrens. «Gleichzeitig schickte Admiral Roggeveen einen Boten zu einem Franziskanerkloster, das in der Nähe lag. Vielleicht existiert es noch. Der Bote hatte Geschenke bei sich, und er sollte den Patres von der abschlägigen Antwort des Gouverneurs berichten.

Der Prior hieß Thomas und war Holländer aus dem Stift Utrecht. Er kam, von mehreren Mönchen begleitet, aufs Schiff. Prior Thomas war außer sich vor Freude, nach 22 Jahren wieder Holländer zu treffen, und meinte, nun wolle er gerne sterben. Er versprach Admiral Roggeveen, den hartleibigen Gouverneur umzustimmen.

Die Portugiesen mußten unserer Vorbereitung auf den Kampf innegeworden sein. Vielleicht auch hatte Prior Thomas besänftigend auf den Gouverneur eingewirkt. Jedenfalls, der Vizegouverneur sagte uns Lebensmittel, Wasser und Holz für einige Tage zu. Für einige Tage! Admiral Roggeveen wollte mehr. Häuser für die Kranken, dazu Vieh, Kräuter, Wasser, Holz soviel wir brauchten. Wir boten dafür Waren aus Europa. Die Portugiesen aber blieben mißtrauisch. Sie hegten wohl den Verdacht, wir würden es französischen Schiffen gleichtun, die mit Geschützfeuer hatten zahlen wollen. Schließlich wurden wir doch mit den Portugiesen handelseinig. Admiral Roggeveen bekam alles, was er verlangt hatte. Krankenhäuser, Rinder, Schafe undsoweiter. Die Kranken erholten sich vom Scharbock. Die Gesunden kauften Tabak und Branntwein.»

Die Matrosen stellten Dr. Clarks Cembalo an Bord auf. Inzwischen waren auch Bob und Baxter hinzugekommen. Dr. Clark verlangte nach einem Stuhl, der von einem Matrosen sogleich gebracht wurde, und setzte sich an sein Instrument.

«Einige von uns besuchten bald das Kloster von Bruder Thomas», sagte Behrens. «Er zeigte uns ein Andenken: einen Abgott der Einheimischen. Halb Tiger, halb Löwe, mit Storchenflügeln. Auf dem Kopf eine Doppelkrone, aus der zwölf Pfeile ragten. Auf dem Abgott ritt ein Bewaffneter mit Pfeil und Bogen. Alles aus purem Gold oder vergoldet. Der Schwanz des Tieres wand sich um den Bewaffneten. Der Abgott heißt Nasil Lichma.»

Behrens wies mit beiden Armen in Richtung Land. «Die Einwohner sind Menschenfresser. Man verkauft dort Menschenfleisch wie bei uns Rindfleisch.»

«Wovon redet er», sagte Hammerton leise zu Baxter.

Behrens fuhr fort: «Die Einwohner sind grobgliedrig, untersetzt, schwarzhäutig. Sie haben platte Nasen und wulstige Lippen. Ihre Zähne sind ungestalt, aber weiß. Ihr Haar ist wollig wie das Fell der Schafe.»

Hammerton sagte: «Sie meinen Negersklaven, nicht Indianer.»

«Wenn die Urbewohner einen Christen erwischen, dann verspeisen sie ihn», sagte Behrens.

«Die Musik ...», rief Dr. Clark.

«Neun eidvergessene Milizsoldaten sind desertiert. Andere haben sich mit indianischen Weibern eingelassen. Sie schwärmten von ihnen und verleiteten noch mehr von unseren Männern. Die Luft hier ist vorzüglich. Allerdings gibt es eine greuliche Menge von Borrachudos. Am Ende bezahlten wir alles, was wir vom Gouverneur bekommen hatten, mit unseren Waren: Leinwand, Hüte, Seidenstrümpfe, Butter, Stockfisch und Gewehre. Tja. Und bevor wir wieder in See stachen, setzten wir unseren ungebärdigen Schiffsjungen, den Messerstecher, nahe der Stadt auf einer kleinen Insel aus.»

Behrens ging zu Kapitän Koster.

Frau Cunningham, Bob, Baxter und Hammerton umstanden das Cembalo.

«Also, jetzt: Domenico», sagte Dr. Clark. Niemand bewegte sich. Das Stück dauerte neun Minuten. Bob klatschte Beifall. Dr. Clark winkte ab.

Er spielte weiter. Dieses Stück dauerte sieben Minuten. Jetzt klatschten alle.

Frau Cunningham sagte: «So friedlich. Der Ozean liegt hinter uns.»

«Der eine», sagte Baxter.

«Wer ist Domenico?» fragte Frau Cunningham.

Baxter sagte es ihr.

«Ich wage mich nur an die langsamen Sätze», sagte Dr. Clark. Er spielte, und es kamen Matrosen, Milizsoldaten und Schiffsjungen hinzu, die sich hinhockten oder einfach stehenblieben.

Nach dem Beifall sagte Bob: «Ob sich der Lehrer der portugiesischen Infantin Maria Barbara von Braganza je vorgestellt hat, seine Essercizi könnten an der brasilianischen Küste von holländischen Seeleuten gehört werden?»

«Warum nicht», sagte Dr. Clark. «Brasilien gehörte den Portugiesen.»

Hammerton fragte Dr. Clark: «Warum gerade Scarlatti?»

«Er wurde nach Lissabon gerufen. Ein Jahr später erreichte die ‹Arend› Brasilien.»

Auf der Höhe von 40 Grad Süd kündigte sich ein Sturm an; die drei Matrosen mußten Dr. Clarks Cembalo wieder unter Deck bringen. Frau Cunningham sagte zu Dr. Clark: «Ihr Spiel entschädigt mich.»

Es wurde ein Orkan, der vier Stunden lang tobte. Rundum stand die See so hoch, daß man glauben konnte, die ‹Arend› werde im nächsten Moment rettungslos von Wasser überspült. Wirklich ruhig wurde das Wetter erst nach etlichen Tagen.

Kapitän Koster fragte Bob: «Wie geht es Frau Cunningham?»

«Nach dem Sturm in der Spanischen See hatte sie gemeint, Sturm mache ihr nichts aus.»

«Aber ich habe sie schon seit Tagen nicht gesehen.»

Bob machte sich auf, nach Frau Cunningham zu sehen. Er klopfte an ihre Tür, und sie rief: «Herein, wenn es kein Baxter ist!»

Frau Cunningham lag angekleidet in ihrer Koje und sagte: «Ist es auch nicht mein Lou, so ist es immerhin sein Cousin.»

«Wie geht es Ihnen.»

«Die Nächte hindurch habe ich wachgelegen. Keine tröstende Hand geleitet mich über die schwankende See in diesem elenden Alltagsgrau.»

«Warum haben Sie mich nicht rufen lassen.»

«Sie sollten wissen, daß das nicht meine Art ist.»

«Ich lasse Ihnen sofort etwas zu essen bringen.»

«Und etwas zu trinken. – Was meinen Sie, Bob. Ob Louis es wollen kann, daß ich solche Strapazen auf mich nehme, um ihn wiederzusehen?»

«Glauben Sie etwa, mir fällt die Reise leicht?»

«Es sieht so aus. Sie und Baxter, zwei Spieler ...»

«Nein. Sie scheinen mir nach fast zwanzig Jahren immer noch übelzunehmen, daß es Louis in der Malerkolonie von Barbizon sehr gefallen hat.»

«In die Sie ihn mit leichten Mädchen, Tabak und Alkohol gelockt haben. Louis' Vater gefiel es gar nicht, daß Louis sich Ihnen angeschlossen hatte.»

«Sie tun Louis unrecht. Sie glauben doch nicht wirklich, er sei auf billige Weise zu verlocken. Ihm gefiel der Geist der Künstlergesellschaft: die Natürlichkeit, die selbstverständliche Höflichkeit. Ihm gefiel das vorzügliche Essen. Und er mochte die ländliche Umgebung. Er unternahm ausgedehnte Wanderungen.»

«Sie haben ihn dort mit dieser Frau zusammengebracht.»

«Mein liebe Frau Cunningham. Ich hole Ihnen jetzt etwas zu essen und zu trinken. Was möchten Sie?»

«Tee und Zwieback.»

Während Frau Cunningham Tee trank und Zwieback aß, schwieg Bob.

Frau Cunningham bekannte zwischen kleinen Schlukken Tee, sie habe seit zwei Tagen nichts zu sich genommen. «Zwieback und Tee sind die einzigen zivilisierten Nahrungsmittel auf diesem Schiff», sagte sie. «Aber damit kann man keine Weltreise bestehen. Ich fürchte, ich muß morgen wieder den üblichen Kaffernfraß hinunterwürgen.»

Bob sagte endlich: «Diese Frau, wie Sie zu sagen beliebten, hat Louis nicht in Barbizon kennengelernt, sondern in Grez-sur-Loing, wo wir ein Jahr später in einer anderen Künstlerkolonie lebten. Louis hat sich in diese Frau verliebt, und sie verliebte sich in ihn. Ich stand abseits, ich habe zu ihr gesagt: ‹Ich bin ein vulgärer Prolet, aber Louis ist ein Gentleman.›»

«Damit hatten Sie zweifellos recht – ich meine, daß Louis ein Gentleman ist», sagte Frau Cunningham. «Und seitdem ist der Gentleman dieser Frau hinterhergerannt.»

«Ich muß doch bitten», sagte Bob. «Die beiden sind Mann und Frau, sie leben miteinander, und wir werden sie besuchen.»

«Ich besuche Louis», sagte Frau Cunningham. «Ich habe ihn nicht mehr gesehen, seit er nach dem Tod seines Vaters mit seiner Mutter und seiner amerikanischen Madam abgereist ist.»

«Liebe Frau Cunningham. Sie wissen besser als alle anderen – Louis' und meine Eltern ausgenommen –, daß Louis und ich von Kindesbeinen an Vertraute waren. Louis hat mir nach seiner Abreise geschrieben: «Unsere Freund-

schaft … ist fast so alt wie mein Leben … Jetzt leben wir weit
voneinander entfernt … Aber weder Zeit noch Raum …
können einer alten Freundschaft etwas anhaben… Die Erinnerung besteigt … eiserne Schiffe …»

«Schön wär's! Eiserne Schiffe!» sagte Frau Cunningham. «Ich bereue, daß ich mich auf die Schnapsidee von
Dr. Clark eingelassen habe. Mit einem Segelschiff! Du meine Güte!»

«Ich wollte Ihnen nur sagen …»

«Das brauchen Sie nicht. Sie haben ja sogar Louis' Worte
auswendig gelernt.»

Die «Arend» erreichte die Höhe der Magellan-Straße. Kapitän Koster fuhr aber an der Magellan-Straße vorüber. Es
schien ihm sicherer zu sein, durch die südlichere Straße von
Le Maire zu fahren. Vielleicht ist es übertrieben zu sagen,
daß die «Arend» pfeilschnell durch die Straße schoß. Um
nur gewiß um das Kap Hoorn zu kommen, ließ Koster das
Schiff sehr weit nach Süden treiben. Unentwegt Sturm,
Schnee, harte Kälte, drei Wochen lang. Glücklicherweise
war Südsommer, Januar. Aber die Gefahr, auf Eisberge zu
stoßen, besteht das ganze Jahr über.

Schließlich stellte Kapitän Koster den Kurs nach Nord-
osten, und am 10. März war unter 37 Grad südlicher Breite
die Küste von Chile zu sehen. Dr. Clark fragte Behrens, ob
Koster die Absicht habe, bei der Isla Mocha vor Anker zu

gehen, wie bei der ersten Fahrt der «Arend». Die Insel liegt ungefähr drei Meilen vor der Küste.

Behrens schüttelte den Kopf. «Koster hat keine guten Erinnerungen an Mocha. Das Ufer ist voller Klippen, die sich bis zu vier Meilen ins Meer erstrecken. Die Gefahr des Schiffbruchs ist groß. Wir mußten bis zum Hals durchs Wasser waten, ehe wir an Land kamen. Zwar konnten wir eine Menge Gänse und Enten schießen. Aber Kapitän Koster will lieber zu den Juan-Fernández-Inseln segeln.»

«Nicht nach Chile?»

«Nein. Wir fürchteten, die Spanier könnten uns mit Geschützfeuer fernhalten und uns von Kriegsschiffen angreifen lassen, die die Küste bewachen.»

«Aber heutzutage ...»

«Koster bevorzugt Juan Fernández.»

«Was werden die anderen dazu sagen? Die Juan-Fernández-Inseln liegen 270 Meilen von Chile ent...»

«Fast 400.»

«Noch schlimmer. In Chile könnten wir frische Lebensmittel und Wasser an Bord nehmen.»

«Die anderen sind Matrosen und Milizsoldaten ...»

«Und Frau Cunningham? Bob? Baxter? Hammerton?»

«Erlauben Sie, Dr. Clark. Die anderen können dazu sagen, was sie wollen. Die Soldaten und Matrosen haben überhaupt nichts zu sagen. Und unsere Freunde ...»

«Auch nicht.»

«So ist es. Sie selbst wollten die Route von damals.»

Dr. Clark bat Frau Cunningham, Bob, Hammerton und Baxter in seine Kammer.

Er sah sich in der Runde um und sagte: «Wie ich von Behrens höre, wird Kapitän Koster Chile rechts liegenlassen.»

«Das ist unerhört!» rief Frau Cunningham.

Baxter sagte: «Koster ist der Kapitän.»

Hammerton hob beide Hände. «Ich hatte gehofft, meine Briefe von einer Schiffsreise endlich auf die Post geben zu können. Sie veralten allmählich.»

«Geschichte veraltet nicht», erwiderte Bob.

«Ich hatte etwas ganz anderes gehofft», sagte Frau Cunningham. «In einem richtigen Bett schlafen zu können, wenigstens für eine Nacht. Keine Kakerlaken rascheln zu hören.»

«Die rascheln in Chile auch», sagte Baxter.

«Und ich habe es satt, meine Notdurft über einem Eimer zu verrichten», rief Frau Cunningham. «Wenn der Eimer wenigstens regelmäßig geleert würde. Aber diese Matrosen, das faule Pack ...»

«Wir würden mit Chile viel Zeit verlieren», sagte Dr. Clark. «So gerne ich frisches Wasser getrunken hätte ...»

«Machen Sie's wie ich», rief Bob. «Trinken Sie Whisky.»

Frau Cunningham sagte ruhig: «Wenn wir ohne Chile Zeit gewinnen, soll es mir recht sein. Je eher ich von diesem schrecklichen Schiff herunterkomme, desto besser.»

Bob sagte zu Hammerton: «Ihre Briefe werden historisch.» Hammerton hob noch einmal beide Hände.

Baxter meinte, zu Bob gewandt: «Solange Whisky an Bord ist, kann es ohne Zwischenstop weitergehen.»

«Ich danke Ihnen», sagte Dr. Clark.

«Sie sind nicht unser Kapitän», sagte Frau Cunningham, «und wir sind keine besänftigten Meuterer.»

Dr. Clark ging zu Behrens und sagte: «Die Meuterer sind besänftigt.»

Behrens sagte: «Damals war uns der Wind günstig. Wir erreichten die Juan-Fernández-Inseln binnen vier Tagen. Aber wegen Windstille konnten wir nicht gleich vor Anker gehen. Erst am übernächsten Tag segelten wir in eine Bucht und konnten endlich den Anker werfen.»

«Hoffentlich geht es diesmal schneller», sagte Dr. Clark.

Diesmal jedoch war der Wind weniger günstig. Die «Arend» brauchte sechs Tage bis zur Isla Más a Tierra. Kapitän Koster segelte in die Cumberland-Bucht und warf zwei Anker aus.

Behrens stand mit Dr. Clark, Hammerton, Baxter und Bob an der Reling.

Dr. Clark fragte Behrens: «Warum zwei?»

«Gegen Sturm und Ungewitter.»

Alle starrten auf die drei Berge, die sich hinter der Bucht erhoben. Behrens sagte: «Der mittlere ähnelt dem Tafelberg am Kap der Guten Hoffnung.»

«Aha», murmelte Hammerton.

Frau Cunningham kam hinzu, und Behrens fragte sie, ob sie an Land gehen wolle.

«Wie heißt das Nest da drüben?»

«San Juan de Bautista.»

«Sieht nicht sehr verlockend aus. Ein richtiges Bett finde ich da bestimmt nicht.»

«Aber ein Plumpsklo.»

«Sehr geschmackvoll.»

«Und bestimmt gibt es keine Kakerlaken.»

«Immerhin. Ja, ich gehe an Land.»

Kapitän Koster setzte Schaluppen und Boote aus. Er ließ Matrosen und Milizionäre an Land bringen.

Frau Cunningham fragte, was die vielen Leute an Land zu tun hätten.

Behrens sagte: «Sie besorgen Ziegen, lebende Hummern und Bachkrebse, und Salzfisch.»

«In dem Wasser, das wir trinken müssen, werden die Krebse und Hummern bald krepieren.»

«Sie lassen mich nicht ausreden, Frau Cunningham. Natürlich bringen unsere Leute auch frisches Wasser an Bord. Und Brennholz.»

«Wie lange werden wir hier bleiben?»

«Bis übermorgen.»

«Wann gehen wir an Land?»

«Wann Sie wollen.»

Frau Cunningham blickte in die Runde.

Dr. Clark sagte: «Ich schlage vor: gleich.»

Behrens sagte: «Ich gehe mit Ihnen.»

Alle sechs wurden an Land gerudert.

Seelöwen und Robben, die überall am Strand lagerten, machten einen unerhörten Lärm. Behrens sagte: «Ich erinnere mich an damals. Die Tiere heulten so stark, daß mich ein Grauen erfaßte. Ich glaubte, sie hätten vor, die Insel gegen uns zu verteidigen.»

Bob und Baxter hatten keine Lust auf einen Spaziergang durch das öde Dorf. Sie wollten gleich in die Kneipe.

Dr. Clark sagte: «Ich schlage Ihnen vor, daß wir uns in einer Stunde alle in der Kneipe treffen.»

Frau Cunningham machte sich allein auf den Weg, denn Hammerton wollte mit Behrens und Dr. Clark zu den Fischern gehen.

Hammerton sagte: «Meine Briefe habe ich auf dem Schiff gelassen. Ich bezweifle, daß es hier eine Post gibt. Und selbst wenn es eine gäbe – wie oft legt hier ein Schiff an?»

«Das weiß ich nicht», sagte Dr. Clark.

Die Proviantmacher handelten den Fischern deren Vorräte an gesalzenem Fisch ab. Lebende Hummern und Bachkrebse waren nicht viele zu haben. Behrens meinte: «Für unsere Passagiere wird es reichen.»

Den ganzen Tag brachten Boote Holz und Wasser zum Schiff. Beim Transport der Ziegen gab es ein Malheur. Eine Ziege riß sich los und sprang ins Meer.

In der Kneipe saßen Bob und Baxter mit Einheimischen zusammen. Sie tranken Rum. Whisky gab es nicht. Behrens, Dr. Clark und Hammerton setzten sich an einen anderen Tisch und bestellten so etwas wie Limonade. Nach einer Weile kamen Bob und Baxter dazu, jeder mit einem Glas Rum.

Frau Cunningham erschien erst nach der verabredeten Zeit. Sie sagte: «Ich übernachte heute bei der Familie des Leuchtturmwärters. Na ja, Leuchtturm. Ich habe in Schottland schon andere Leuchttürme gesehen.»

Behrens sagte: «Auf dieser Insel hauste seit 1705 ein schottischer Steuermann aus Edinburgh namens Alexander Selkirk.»

«Das wissen wir», sagte Bob.

Behrens ließ sich nicht stören. «Der englische Seeräuberkapitän Rogers holte Selkirk 1709 von der Insel ab und brachte ihn nach England.»

«Hören Sie», sagte Baxter, «wir wissen das.»

Behrens fuhr ungerührt fort: «Ein gewisser müßiger Skribent mit Namen Daniel Defoe hat sich die Geschichte angeeignet und die wahre Begebenheit mit allerlei Unwahrheiten und unnützen Weitschweifigkeiten ausgeziert, so daß sein Werk eher einem Phantasiegebilde gleicht, als daß man daraus etwas erfahren könnte, was sich zu merken lohnt.»

«Erlauben Sie ...», sagte Bob, aber Frau Cunningham unterbrach ihn und sagte schnell: «Sie mögen ein guter Soldat und Seemann sein, Herr Behrens, aber in Dingen der Kunst sind Sie ein Banause, merken Sie sich das. Sie wissen nichts über den Unterschied zwischen einem Ereignis und einem Roman. Es steht Ihnen nicht zu, über ‹Robinson Crusoe› zu urteilen.» Sie schüttelte den Kopf und murmelte: «Unglaublich so etwas. Unglaublich.»

Bob sagte: «Respekt, Frau Cunningham. Besser hätte ich es nicht sagen können.» Und an Behrens gewandt: «Sie werden verzeihen, aber Ihr offenes Wort über Defoe verdiente ein offenes Gegenwort.» Bob sah zu Frau Cunningham hin und schloß: «Dabei wollen wir es bewenden lassen.»

Behrens stand auf: «Ich gehe zurück aufs Schiff. Achten Sie darauf, daß Sie vor der Dunkelheit auf die ‹Arend› gebracht werden.»

Kapitän Koster ließ am zweiten Tag die Anker lichten, und die «Arend» nahm dank des Südostwindes schnell Fahrt auf.

Frau Cunningham hatte zweimal bei der Familie des Leuchtturmwärters von San Juan de Bautista übernachtet. Zwei Stunden vor der Weiterreise war sie wieder an Bord gebracht worden. Zu Dr. Clark sagte sie: «Die Primitivität dieser Leute ist unvorstellbar, aber wenigstens ... na ja.»

Später als damals kam Land in Sicht, das eine Insel war.

«Wir sahen die Insel am Ostersonntag, 6. April», sagte Behrens «und nannten sie Paasch-Eiland. Am Tag darauf segelten wir ein wenig näher. Wir wollten einen Ankerplatz suchen. Noch zwei Meilen von der Insel entfernt kam ein Eingeborener in einem winzigen Boot auf die ‹Arend› zu. Er war vollkommen nackt. Wir nahmen ihn an Bord und gaben ihm ein Stück Leinwand als Lendenschurz. Eine Perlenkette schenkten wir ihm auch, und einen getrockneten Fisch. Er hängte sich alles um den Hals. Ein großer, starker braunhäutiger Mann. In den Ohrläppchen trug er große weiße Klötze, weshalb die Ohrläppchen bis auf die Schultern herabhingen. Auf seine Haut waren wunderliche Tiere gemalt und Vögel. Jemand gab ihm ein Glas Wein. Er nahm es und schüttete den Wein über seine Augen. Jetzt zogen ihm zwei Matrosen Kleider an und setzten ihm einen Hut auf. Er benahm sich so tölpisch, daß jedermann sehen konnte: dieser Mann hatte noch nie Kleider angehabt. Es wurde ihm Essen vorgesetzt, aber das Besteck benutzte er nicht; er aß mit den bloßen Fingern. Schließlich machten einige unserer Leute Musik. Da hüpfte und sprang er fröhlich umher.

Kapitän Koster ging in gehöriger Entfernung vom Land vor Anker. Unseren Gast versorgten wir mit Geschenken und nötigten ihn, mit seinem Schiffchen an Land zu fahren.

Am nächsten Morgen segelten wir in eine Bucht und

ankerten. Zahllose Eingeborene kamen zu unserem Schiff geschwommen. Manche kamen in Booten und brachten gebratene Hühner.

Wir sahen aus der Entfernung ihre gewaltigen Götzenfiguren, die wir auf gute 30 Fuß Höhe schätzten. Die Eingeborenen entzündeten vor ihren Götzen Feuer und schienen zu beten.

Wieder einen Tag später, am frühen Morgen, brannten Hunderte Feuer in der Umgebung der Götzen; die Eingeborenen warfen sich zu Boden, dem Sonnenaufgang zugewandt.

Erst am 10. April gingen wir an Land: rund 150 Soldaten und Matrosen, angeführt von Admiral Roggeveen, zu dem ich abkommandiert war, und ich habe als erster meinen Fuß auf die Insel gesetzt.

Kaum waren wir einige Schritte gegangen, da wurden wir von Hunderten Eingeborener umringt. Wir mußten die Menge gewaltsam auseinandertreiben. Ein Insulaner versuchte, einem Soldaten das Gewehr zu entreißen. Mehrere Soldaten ließen sich in eine Prügelei mit Insulanern ein. Als die aber mit schweren Steinen warfen, da gaben unsere Leute Feuer.»

«Na bravo!», sagte Frau Cunningham.

«Admiral Roggeveen gefiel das auch nicht, aber was hätten unsere Leute tun sollen. Zehn Eingeborene wurden erschossen, darunter unser Gast, dieser große, starke braunhäutige Mann.

Die Menge war verwirrt zurückgewichen. Nach kurzer Weile näherten sich Gruppen von zwei, drei Eingeborenen und boten uns Früchte an. Sie wollten ihre Toten haben.»

«Wie lange sind Sie auf der Insel geblieben», fragte Hammerton.

«Wenn es Abend wurde, gingen wir aufs Schiff. Am übernächsten Tag, 12. April, stach die ‹Arend› wieder in See.

Wir mußten an diesen zwei Tagen erleben, daß die erschreckten Insulaner unter wirren Schreien große Mengen Früchte heranschleppten: Bataten, indianische Feigen, Nüsse, Zuckerrohr. Dazu lebende Hühner. Sie warfen alles vor uns hin, steckten rote und weiße Fahnen auf, rutschten auf Knien heran und wedelten mit Palmzweigen.»

«Schmerzlich», sagte Baxter.

«Sie zeigten auf ihre Weiber und gaben uns Zeichen, mit den Weibern in ihre Hütten zu gehen. Die Weiber setzten sich vor uns auf die Erde und legten die Decken ab, in die sie gehüllt waren.»

«Interessant, Herr Behrens», sagte Frau Cunningham, «aber mehr muß man über eine Schafweide auch nicht wissen. Wir können also zügig an diesem öden Eiland vorbeisegeln.»

«Erlauben Sie, Frau Cunningham», sagte Bob, «aber als Kunsthistoriker interessiere ich mich sehr für die Statuen, die Herr Behrens Götzenfiguren zu nennen beliebt.»

«Wir sind schon viel zu lange unterwegs», erwiderte

Frau Cunningham. «Ich will endlich Louis wiedersehen. Was haben diese Statuen mit Louis zu tun?»

«Mit Louis hat alles zu tun.»

«Ach, machen Sie doch keine leeren Sprüche!»

Kapitän Koster hatte ohnehin die Absicht, Paasch-Eiland zu besuchen, in Erinnerung an Admiral Roggeveen und aus Neugier auf die Insulaner. Er fand eine Anlegestelle in der Nähe von Hanga Roa, und im Laufe mehrerer Stunden wurde die halbe Besatzung der «Arend» an Land gebracht, allen voran Kapitän Koster.

Dr. Clark, Bob, Baxter und Behrens waren unter den ersten, die das Eiland betraten.

Frau Cunningham weigerte sich, das Schiff zu verlassen. Auch Hammerton blieb an Bord. «Warum soll ich über diese Insel schreiben, wenn meine Briefe doch nicht auf die Post gegeben werden können.»

Am Abend kamen alle zurück aufs Schiff.

Frau Cunningham, die gehofft hatte, am nächsten Morgen ginge die Reise weiter, wurde enttäuscht. Am nächsten Morgen ging Kapitän Koster mit der anderen Hälfte der Mannschaft an Land. «Die Leute sollen sich in der milden Luft die Beine vertreten.»

Behrens, Dr. Clark, Bob und Baxter waren wieder dabei.

Diesmal ging auch Hammerton mit; er war durch Bobs Bericht über die Moai-Figuren verlockt.

Am dritten Tag verließ die «Arend» das Paasch-Eiland. Das Schiff machte große Fahrt, aber die Einöde des Wassers und die Gleichform der Tage waren schwer erträglich.

Die Reisenden saßen gelangweilt beisammen. Behrens sagte: «Unter Admiral Roggeveens Kommando fuhren drei Schiffe: die ‹Arend›, die ‹Thienhoven› und die ‹Afrikaansche Galey›. Ich war auf der ‹Arend›. Wir passierten die Hunde-Insel, und in der folgenden Nacht segelten wir plötzlich zwischen völlig unbekannten Inseln, ohne darauf vorbereitet gewesen zu sein. Die ‹Afrikaansche Galey› hatte den geringsten Tiefgang. Sie fuhr des Nachts immer voraus, aber gerade nur so weit, daß wir ihre Feuer noch sehen konnten.

Auf einmal hörten wir Notschüsse. Die ‹Afrikaansche Galey› gab Schuß um Schuß ab. Sie setzte alle ihre Laternen an die Mastbäume.

Kapitän Koster gab für die ‹Arend› den Befehl, sofort zu wenden. Die ‹Galey› hatte Schiffbruch erlitten.»

«Reizende Aussichten», sagte Hammerton.

«Am nächsten Morgen sahen wir ringsumher Felsen und Inseln. Erst jetzt erkannten wir, wie nahe die ‹Arend› und die ‹Thienhoven› dem Schiffbruch gewesen waren.

Der Rückweg aus dem Felsgewirr war nicht leicht zu finden. Erst nach fünf Tagen konnten wir uns durch allerlei Manöver aus dieser gefährlichen Lage befreien.

Während dieser Tage wußten wir nicht, wie es der Besatzung der ‹Galey› ergangen war. Als aber ein Boot zu uns zurückkehrte, das von der ‹Thienhoven› ausgesandt worden war, erfuhren wir, daß alle Mann lebten, allerdings die meisten durch die scharfen Klippen verletzt. Die Leute hatte sich mühsam auf die Unglücksinsel gerettet.

Wir fuhren mit Booten los, um die Schiffbrüchigen abzuholen. Die ‹Afrikaansche Galey› lag zertrümmert; wir hatten nicht nur das Schiff verloren, sondern auch die Waren.

Zurück auf der ‹Arend›, stellten wir fest, daß fünf Leute von der ‹Galey› fehlten, ein Quartiermeister und vier Matrosen. Sie hatten sich an Land mit den Offizieren zerstritten und, gut Holländisch, mit Messern arg zerstochen. Kapitän Rosendahl, der die ‹Galey› verloren hatte, wollte die Messerstecher henken lassen. So wagten sie es nicht, wieder an Bord zu kommen.

Schließlich fuhr ich selbst mit einigen Leuten zu ihnen. Sie beschossen uns, und wir trauten uns nicht an Land. Aber nach einer Weile landeten wir doch. Ich rief ihnen zu, sie sollten mitkommen, es werde ihnen nichts geschehen. Sie glaubten mir nicht. Wir ließen sie auf der Insel zurück. Gott weiß, was aus ihnen geworden ist.»

«170 Jahre sollten genügt haben, um das zu erfahren», sagte Bob.

«Weil aber die ‹Afrikaansche Galey› auf dieser Insel gestrandet war, nannten wir sie ‹Het Schadelijk Eiland›.»

Hammerton sagte: «Schön für Sie, daß Sie mit drei Schiffen unterwegs waren. Wer rettet uns, wenn die ‹Arend› Schiffbruch erleidet?»

«Heutzutage sind viel mehr Schiffe unterwegs als damals», sagte Behrens. «Und Kapitän Koster kennt die Route jetzt.»

Die «Arend» segelte weiter nach Westen. Tagelang nichts als blaue Einöde. Es kam eine Insel in Sicht, die gebirgig war.

«Wir fanden zuerst keinen Ankergrund», sagte Behrens. «Deshalb setzten wir zwei Schaluppen aus, in jeder 25 Mann. Die Insulaner bemerkten uns bald und drohten am Strand mit langen Spießen. Wegen des felsigen Untergrunds kamen wir mit den Schaluppen nicht bis zum Strand. Wir stiegen aus und wateten mit Mühe an Land; unsere Gewehre, Pulver und Blei hielten wir über unsere Köpfe. In jeder Schaluppe waren einige Mann zurückgeblieben, die auf die Insulaner schossen, um sie vom Strand zu vertreiben. Die zogen sich tatsächlich zurück.

Aus gehöriger Entfernung zeigten wir den Insulanern unsere Geschenke: Spiegel und Glasperlen. Sie kamen langsam heran, freuten sich über die Geschenke, und wir stapften mit ihnen in das Grün der Insel.

Wir wollten nur Heilkräuter für die Scharbockkranken sammeln. Wir füllten mehrere Säcke voll, vor allem mit Jasmin, und brachten die Säcke aufs Schiff.

Die Kräuter reichten für unsere Kranken nicht. Der Scharbock wütete. Auf dem ganzen Schiff hörte man die Schreie der Kranken. Einige waren so abgemagert und

verhutzelt wie Bilder des Todes. Andere waren wie aufge-
blasen. Manche hatten die rote Ruhr. Wieder andere lagen
zusammengekrampft. Die Leute gingen aus wie ein Licht.

Auch ich hatte Scharbock. Meine Zähne saßen locker.
Auf dem Leib hatte ich Knoten, rote, gelbe, grüne, so groß
wie Haselnüsse.

Wir mußten noch einmal an Land gehen, um Kräuter
zu sammeln. Am nächsten Tag machten wir uns auf. Diesmal mit größerer Mannschaft. Die Insulaner verhielten sich
friedlich. Wir hatten schon an die 30 Säcke mit Kräutern
gefüllt, als die Insulaner uns plötzlich einschlossen. Es müssen Hunderte gewesen sein. Auf ein Zeichen ihres Königs
schleuderten sie unzählige Steine auf uns. Wir schossen
auf sie, und viele fielen, sogar ihr König, aber sie ließen
nicht von uns ab. Wir mußten uns hinter einen hohen Felsen zurückziehen. Die meisten von uns waren verwundet.
Wir feuerten weiter, und schließlich gelang es uns, mit den
Kräutersäcken zu entkommen.

Wir nannten die Insel Eiland van Verkwikking, Insel
der Erquickung, weil wir so gute Kräuter gefunden hatten.
Diese gebirgige Insel sehen Sie dort drüben vor sich.»

Frau Cunningham sagte: «Ich habe genug von Ihren
Geschichten. Seit zehn Monaten sind wir unterwegs. Es ist
auf der ‹Arend› unerträglich. Wie lange soll diese Quälerei
noch dauern?»

«Das kann niemand sagen. Es hängt vom Wind ab
und …»

«Bei der nächsten Gelegenheit steige ich aus. Es wird sich ein besseres Schiff finden.»

«Ich schließe mich Ihnen an», sagte Hammerton.

Die «Arend» passierte die Insel der Erquickung mit Kurs Nordwest.

Behrens hielt sich meistens bei Kapitän Koster auf.

Bob und Baxter spielten an Deck stundenlang Schach.

Dr. Clark saß in seiner Kammer und schrieb Tagebuch.

Nach drei Tagen konnten deutlich drei Inseln gesehen werden.

Behrens kam an Deck, zeigte aufgeregt auf die Inseln und sagte: «Kapitän Bouman von der ‹Thienhoven› hat sie seinerzeit als erster gesehen. Deshalb haben wir sie die Boumans-Inseln genannt.»

Unterdessen war Dr. Clark an Deck gekommen.

Frau Cunningham sagte zu Behrens: «Was heißt schon ‹Wir nannten sie die Boumans-Inseln›. Das interessiert nicht. Wie heißen die Inseln?»

Behrens blickte Frau Cunningham an.

Dr. Clark sagte: «Ta'u, Ofu und Olosega.»

Hammerton fragte: «Gehen wir hier vor Anker?»

«Nein», sagte Behrens.

Dr. Clark sagte: «Nur noch ein wenig Geduld.»

Die «Arend» segelte weiter in Richtung Nordwest.

Nach circa 50 Meilen kam eine große Insel in den Blick.

Die «Arend» fuhr an der Küste entlang.

Behrens ließ sich von Frau Cunningham nicht stören. «Diese Insel nannten wir ‹Thienhoven›, nach Kapitän Boumans Schiff.»

Nach einem ganzen Tag sichtete man eine andere große Insel.

«Das ist die Insel, die von uns den Namen ‹Groningen› erhielt», sagte Behrens.

Dr. Clark erschien an Deck, stellte sich neben Behrens und sagte: «Die Reise ist zu Ende!»

«Wie. Zu Ende», sagte Hammerton.

«Die Insel, die Herr Behrens ‹Groningen› nennt, ist Upolu.»

Frau Cunningham faltete die Hände und sagte: «Ich danke Gott, daß er mich unversehrt bis hierher geführt hat.»

«Vergessen Sie nicht Kapitän Koster», sagte Dr. Clark.

«Ich bitte Sie. Auch Kapitän Koster wurde von Gott gelenkt.»

Kapitän Koster steuerte die «Arend» in die Bucht von Apia und warf mitten im Hafen Anker. Noch ehe er Boote zu Wasser lassen konnte, umringten einheimische Boote die «Arend».

Dr. Clark, Bob, Baxter, Hammerton und Frau Cunningham standen an der Reling.

Kapitän Koster kam mit Behrens hinzu und sagte: «Ich freue mich, daß ich Sie gesund ans Ziel geführt habe. Sagen Sie mir doch, ob Sie mit mir zurückfahren wollen nach Holland. Wir nehmen die Route über Ostindien und um das Kap der Guten Hoffnung.»

Dr. Clark sagte: «Wie lange wollen Sie in Apia bleiben?»

«Das weiß ich noch nicht. Die Leute müssen sich erholen, und wir brauchen Wasser, Lebensmittel, Holz.»

Frau Cunningham sagte: «Ich fahre nicht mit der ‹Arend› zurück.»

«Ich auch nicht», sagten fast gleichzeitig Hammerton, Bob und Baxter.

Dr. Clark sagte: «Ich überlege es mir.»

«Ich fahre mit Ihnen zurück», sagte Behrens.

Kapitän Koster sagte: «Ich lasse Sie jetzt an Land bringen. Ihr Gepäck folgt. Dr. Clark, soll Ihr Cembalo an Bord bleiben?»

«Vorläufig ja.»

Frau Cunningham sagte: «Herr Kapitän, trotz allem, ich danke Ihnen.»

Baxter, Bob und Hammerton sagten fast gleichzeitig: «Ich auch.»

An Land standen unzählige Neugierige.

Im Hafenbecken war das Wrack eines Kanonenbootes zu sehen.

Kaum hatten Frau Cunningham, Hammerton, Baxter, Bob und Dr. Clark festen Boden unter den Füßen, stellte sich ihnen ein auffälliger Weißer vor: «Ich bin Harry Moors. Ich lade Sie ein, Gäste meines Hotels zu sein. Es ist das ‹Tivoli› und ist das einzige am Ort. Ihr Gepäck lasse ich ins Hotel bringen.»

In der schäbigen Hotelhalle saßen alle fünf in Korbsesseln um einen niedrigen runden Tisch und warteten auf das Gepäck. Es war heiß, die Luft sehr feucht.

Der Kellner fragte, was die Herrschaften zu trinken wünschten. Frau Cunningham wollte frisches Wasser. Bob sagte: «Ein Bier darf es jetzt schon mal sein.» «Für mich auch», sagte Baxter. Dr. Clark und Hammerton wollten Tee.

Frau Cunningham sagte: «Gott sei’s gedankt, wir sind am Ziel.»

«Sie sagen es», meinte Dr. Clark.

«Schade, daß Ihr Cembalo noch an Bord ist. Jetzt wäre ein Tusch angebracht.»

«Auf dem Cembalo?», sagte Bob.

Hammerton sagte: «Hier gibt es eine Poststation!»

«Und Postboote nach Australien», fügte Baxter hinzu.

«Ich werde zuallererst ein Bad nehmen», sagte Frau Cunningham. «Louis soll mich schließlich wiedererkennen.»

Der Kellner brachte frisches Wasser und Bier. Zu Dr. Clark und Hammerton gewandt: «Ihr Tee kommt gleich.»

Harry Moors zog einen Korbsessel heran und setzte sich neben Dr. Clark. «Ich bin neugierig», sagte er. «Was führt Sie ausgerechnet nach Apia?»

«Wir wollen einen Freund besuchen.»

«Einen Freund?»

«Louis ...»

«Ach», sagte Harry Moors. «Wären Sie doch früher gekommen. Stevenson ist tot. Gestorben am 3. Dezember.»

Alle starrten Harry Moors an.

Frau Cunningham preßte die Hände an die Schläfen und schrie: «Ich verfluche dieses Schiff!» Dann hielt sie die Hände vors Gesicht und weinte leise.

Dr. Clark sagte: «Hatte Louis einen Arzt?»

«Dr. Funk. Er ist Arzt der Deutschen Handelsgesellschaft. Am 3. Dezember kam Dr. Andersen von der ‹Wallaroo› dazu. Wenn Sie wollen, lasse ich Dr. Funk rufen. Und Louis' besten Freund, Reverend Clarke.»

«Warten Sie, warten Sie. Wer von der Familie ist noch im Haus?»

«Louis' Frau Fanny, ihr Sohn Lloyd, ihre Tochter Belle und Belles Sohn Austin. Und natürlich Louis' Mutter Margret. Sie will aber so bald wie möglich nach Schottland zurück, gemeinsam mit Reverend Clarke und dessen Frau.»

«Wo ist Louis beerdigt?»

«Auf Mount Vaea, oberhalb seines Anwesens. Eingeborene schlugen noch in der Nacht einen Weg durch den Dschungel bis zum Gipfel. Die Eingeborenen lieben Louis. ‹Tusitala› nennen sie ihn, Geschichtenerzähler. Am Tag nach seinem Tod wurde Louis beerdigt.»

«Ich kann es noch nicht begreifen.»

«Möchten Sie die Familie besuchen? Ich kann Sie begleiten. Reverend Clarke und Dr. Funk werden gewiß auch
mitkommen.»

«Ja», sagte Dr. Clark.

«Er war mein Cousin», sagte Bob.

Baxter sagte: «Ich bin dabei.»

Hammerton sagte: «Nein. Oder?»

Frau Cunningham sagte: «Ich muß diese Frau und ihre
Kinder nicht sehen.»

TORNIAMO A ROMA

I.

Guichard, Militärschriftsteller, Oberst, Vertrauter des Königs, riet diesem, Johann Joachim Winckelmann auf die Stelle eines Königlichen Bibliothecarus und Aufsehers des Münz- und Antikenkabinetts zu berufen.

Der alte Direktor Gautier La Croze war gestorben.

Guichard kannte Winckelmann seit den Hallenser Studententagen.

Ein anderer Kommilitone aus der Zeit in Halle, Marpurg, Musikforscher, Der Critische Musicus an der Spree, Direktor der Preußischen Staatslotterie, sprach sich auch für Winckelmann aus.

Die eifrigsten Befürworter Winckelmanns waren Sulzer, Philosoph und Ästhetiker, für den der Zweck des Handelns die eigene oder fremde Glückseligkeit darstellte, und Nicolai, Buchhändler, Verleger, Schriftsteller, der seine größte Freude als Kritiker fand.

Die Einladung des Königs in Preußen hielt Winckelmann am 29. August 1765 in Händen.

Guichard hatte Winckelmann, dem Befehl des Königs gemäß, die Stelle angetragen, vermittels des Buchhändlers Nicolai. Nicolai ließ Winckelmann wissen, er könne die beträchtlichsten Bedingungen machen, weil der König längst zu tun gewünscht, was er jetzt tue. Der König sei entschlossen, 1500 bis 2000 Taler zu geben.

Sollte Winckelmann nach Preußen zurückkehren? Er, der «einen gütigen Himmel und ein schönes Land, wo die ganze Natur lacht, lange Zeit genossen hatte»?

Müßte ihm in Preußen nicht der Satz seines geliebten Homer einfallen?

«Weh mir, zu welchem Volke bin ich nun wieder gekommen?»

Der Gedanke an sein «Schulmärtyrtum» in Seehausen, an den verhaßten Inspektor Schnakenburg: «... der Mann will immer den anderen allen zuvor sein; allen will er gebieten ... und alle beherrschen.»

Schnakenburg, der Zweifel an Winckelmanns Latein geäußert und ihm den Elementarunterricht zugewiesen, weil Winckelmann während der sonntäglichen Predigten des Inspektors im Homer gelesen hatte.

Die besserwisserische Selbstgerechtigkeit Schnakenburgs nahm Winckelmann für ganz Preußen.

«Ich habe vieles gekostet, aber über die Knechtschaft in Seehausen ist nichts gegangen ...»

Der Züricher Freund Usteri hätte Winckelmann daran erinnern können, daß er zwei Jahre zuvor geschrieben hatte, es steige allezeit ein kleiner Widerwille wider sein Vaterland auf. Der vornehmste Grund, glaube er, sei die Liebe zur Freiheit ...

Und: Wenn er an den Preußischen Despotismus und an

den Schinder der Völker gedenke, welcher das von der Natur selbst vermaledeiete und mit Lybischem Sande bedeckte Land zum Abscheu der Menschheit ... machen werde, dann schaudere ihn die Haut vom Haupt bis zu den Zehen.

Winckelmann hatte doch gelobt, dem Vaterland für immer den Rücken zu kehren.

War vergessen, daß er gesagt hatte: «Mein Vaterland vergesse ich gern ...»?

Gewiß, er hätte in Berlin Freunde treffen können. Guichard und Marpurg natürlich.

Aber Uden, Berendis, Genzmer, Boysen – sie lebten nicht in Berlin.

Vielleicht hätte er sogar Lamprecht wiedergesehen. Trotz allem gerne.

Wöge aber die neue Begegnung mit alten Freunden den Verlust der römischen Vorzüge auf?

Er hätte seine Widersacher, Inspektor Schnakenburg in Seehausen und Abt Jerusalem in Braunschweig, von Berlin aus hören lassen können, daß der einst herabgewürdigte und abgewiesene junge Mann nun in Königlicher Gunst stehe. Aber sie konnten auch aus Rom hören, daß er den Gipfel erreicht hatte.

Sollte er, päpstlicher Antiquar, Gesellschafter des Kardinals Albani, den er beim Bau der Villa beraten, sollte er, der zwei Jahre zuvor die «Geschichte der Kunst des Althertums» veröffentlicht hatte, in das verabscheute unwirtliche Preußen gehen?

Er, der im Winter im Palazzo Albani wohnte, im Frühling in Albanis Landhaus bei Nettuno, im Sommer mit Albani in Castel Gandolfo, als Nachbar des Papstes.

Winckelmann nahm den Ruf des Preußischen Königs an.

Er schrieb nach Berlin, seine Forderung setze er auf 2000 Taler.

Der König sagte Non. Er erklärte, 1000 Taler seien für einen Deutschen genug.

Die Sache hatte ein Ende.

Vielleicht war Winckelmann jetzt erleichtert.

Vorzuwerfen hatte er sich nichts.

Die Forderung, die er gestellt, war ihm in den Mund gelegt worden.

Er hätte ein Vielfaches billig fordern können. «Wenn des Königs Absicht wäre, einen Samen des wahren Geschmacks bei sich auszustreuen oder einen zuverlässigen Richter über Sachen, welche die Künste betreffen, in der Nähe zu haben, so sollte man erwägen, daß ich einzig in dieser Art könne angesehen werden.» Und: Der König wisse nicht, daß man einem Menschen, welcher Rom gegen Berlin verlasse und sich nicht anzutragen nötig habe, wenigsten so viel geben müsse als jemandem, welcher von dem Eismeere, von Petersburg gerufen werde. Er, Winckelmann, verlasse nicht das Eismeer, wie Euler, oder die Froschpfützen von Holland, wie Katt, sondern den schönsten Ort der Welt. Der König sollte wissen, daß er, Winckelmann, mehr als ein

Algebraist Nutzen schaffen könne, und daß die Erfahrung nur von 10 Jahren in Rom weit kostbarer sei als eben soviel Jahre Ausrechnung von parabolischen Linien, die man zu Tobolsk so gut als zu Smyrna …

«Ich bin von Dessau», habe er gesagt. «Mein lieber Winckelmann, ich komme nach Rom, zu lernen, und ich habe Sie nötig.»

Franz, Fürst von Anhalt-Dessau, reiste als Graf von Sandersleben.

Acht Monate wünschte er in der Ewigen Stadt zu verweilen; Winckelmann sollte sein Führer sein.

In der Gesellschaft des Fürsten Franz befand sich Freiherr von Erdmannsdorf, Baumeister, Gartenarchitekt.

Am 27. Dezember 1765 war der Fürst in Rom eingetroffen und am 28. Dezember, spätabends, zu Winckelmann in die Villa Albani gekommen.

Zwei Monate zuvor hatte Louis Alexandre, Duc de La Rochefoucauld-Guyon, um den Beistand Winckelmanns nachgesucht.

Winckelmann widmete ihm so viel Zeit als möglich; er wollte einen Antiquar aus ihm machen. Der Duc sei der süßeste, gesittetste und gelehrteste junge Mensch, den er bisher habe kennenlernen.

Nur drei Wochen später traf eine Gesellschaft in Rom ein, in deren Mittelpunkt Graf Stargardt stand. Das war aber Prinz August von Mecklenburg-Strelitz.

Der siebzehnjährige Prinz, Bruder der Königin von England, besuchte Winckelmann am folgenden Tag in Castel Gandolfo, wo Winckelmann sich mit dem Duc de La Rochefoucauld und dessen Begleitern im Landhaus des Kardinals Albani aufhielt.

Der Prinz eröffnete Winckelmann, er wolle ein volles Jahr in Rom bleiben.

Winckelmann erhielt Dispensation von der Arbeit in der Vatikanischen Bibliothek, um den Prinzen in Rom zu führen.

«Der Prinz von Mecklenburg will ohne mich nicht aus dem Hause gehen; ich muß zwei Stunden essen, da ich mit einer Viertelstunde fertig werden könnte.»

Zu Winckelmanns hochgestellten Lehrlingen stieß ein Mann, der bei seinen Freunden unter dem Namen Yorick bekannt war.

Der Mann litt an fatalem Husten und heillosem Kopfschmerz. Von Zeit zu Zeit sprang in seiner Lunge ein Blutgefäß, besonders nach lebhaften Anstrengungen, deren bei seiner Neigung zu fashionablen Torheiten nicht wenige waren.

Seine Ärzte hatten von einem unaufschieblichen Wechsel der Luft gesprochen. Rom war eine Station auf dem Weg nach Neapel, wo er Kraft fand, dem Grab zu entfliehen.

Er trug sich mit dem Plan eines neuen Werks, zu welchem die Reise Eindrücke verschaffte.

Anfang 1766 beklagte Winckelmann, er sei der geplagteste Mensch in Rom. Der Prinz von Mecklenburg-Strelitz, der Fürst von Anhalt-Dessau und der Duc de La Rochefoucauld begehrten ständig seine Dienste als Führer, Gesprächspartner, Lehrer.

Manchmal mußte der wohlunterrichtete Prinz von Mecklenburg-Strelitz Winckelmanns Stelle bei dem Fürsten von Anhalt-Dessau vertreten, damit Winckelmann dem Duc de La Rochefoucauld einen Tag geben konnte.

Zu seinen eigenen Studien kam Winckelmann kaum.

Der Ärger über die Berliner Absage verflog.

Er war nicht zu Seiner Majestät nach Berlin gegangen.

Durchlauchtige deutsche Prinzen kamen zu ihm nach Rom.

Noch war Fürst Franz von Anhalt-Dessau in Rom, als Winckelmann der Erbprinz von Braunschweig, Karl Wilhelm Ferdinand, avisiert wurde.

Der Erbprinz, unter dem Namen Graf von Blankenburg, kam am 18. Oktober 1766 mit reichlichem Gefolge in Rom an.

Der Erbprinz, Neffe des Preußischen Königs, hatte sich auf preußischer Seite kriegerisch hervorgetan gegen die Franzosen in der Schlacht von Hastenbeck, die die Franzosen allerdings gewannen.

Seit seiner Zeit in Seehausen war Winckelmann nicht gut auf den Abt Jerusalem in Braunschweig zu sprechen. Jerusalem, Kurator des Collegium Carolinum, an welchem

Winckelmann eine Anstellung zu finden gehofft, um der Konrektorstelle in Seehausen zu entkommen.

Jerusalem war nicht einmal bereit gewesen, Winckelmann zu empfangen.

Später wünschte Winckelmann, der «Pfaffe Bethlehem» möchte erfahren, daß der größte Kardinal in Rom, gegen den der Braunschweiger Abt ein Esel sei, ein bescheidener Bürger scheine gegen Jerusalems phantastischen Stolz.

Der Abt Jerusalem war der Erzieher des Erbprinzen von Braunschweig gewesen.

Winckelmann war erleichtert, als der Erbprinz für 14 Tage nach Neapel ging. Er habe beständig um den braunschweigischen Achilles sein müssen. Dieser Herr werde nach der Rückkunft noch ein paar Wochen in Rom bleiben.

Aus Neapel brachte der Erbprinz, der zwei Jahre zuvor die Prinzessin Augusta von Wales geheiratet hatte, eine zwanzigjährige Geliebte mit, Maria von Branconi, Witwe des Barons Francesco de Branconi.

Mit Maria von Branconi kehrte der Erbprinz im Sommer 1767 nach Braunschweig zurück.

Winckelmanns Dienste als Antiquario nobile für Durchlauchtige Prinzen ließen ihm selten eine ungestörte Stunde für die Arbeit, die ihn seit langem beschäftigte. Wenigstens nachts und am frühen Morgen saß er in diesen Tagen über den «Monumenti antichi inediti», seinem zweiten großen Werk.

Winckelmann schrieb es in italienischer Sprache.

Er wollte zweierlei: seine «Geschichte der Kunst des Alterthums» neu bearbeiten, für die Italiener, und, im zweiten Teil, mehr als zweihundert alte Werke, «schwer erklärbare oder rätselhafte», «ins Licht setzen»: Büsten, Statuen, Basreliefs, Gemmen, Gemälde, Vasen, Mosaiken.

Der Plan stand fest Ende 1761: «Erklärung schwerer Punkte in der Mythologie, den Gebräuchen und der alten Geschichte, alles aus unbekannten Denkmälern des Alterthums», die Denkmäler vorgestellt in Kupfern.

Vor den Stichen die Zeichnungen. Giovanni Battista Casanova, Bruder des sagenhaften Liebhabers, wurde Winckelmanns erster Helfer. Casanova sei der beste Zeichner in Rom, ein Mann, der das Geheimste der Kunst durchgeschaut habe.

Allerdings, im Herbst 1763 ging Casanova nach Dresden. Er ließ Winckelmann mit der Hälfte der Zeichnungen sitzen.

Im Sommer 1765 arbeiteten vier Kupferstecher für Winckelmann.

Winckelmann war sein eigener Verleger und trug alle Kosten allein.

Das große Werk erschien im April 1767.

Nach Ostern konnte dem Papst ein Exemplar überreicht werden.

Obgleich erschöpft von der Arbeit an den «Monumenti» und als Fremdenführer, dachte Winckelmann an eine Reise, die vierte, nach Neapel.

Der Prinz von Mecklenburg-Strelitz, August, hatte Winckelmann die Beziehung zu Sir William Hamilton, dem neuen englischen Gesandten am Hofe von Neapel, vermittelt.

Hamilton besaß eine große Sammlung griechischer Vasen. Er dachte daran, Winckelmann könnte, zusammen mit Hugues alias d'Hancarville, seine Vasen beschreiben. Er wollte Winckelmann nützlich sein beim Verkauf der «Monumenti» in England.

Mehr als Hamilton mit seinen Vasen zog Johann Hermann Riedesel Winckelmann nach Süden. «Er ist mein Freund, und mein Herz wallt ihm entgegen, so oft ich an ihn gedenke.»

Winckelmanns liebster Schüler, seit Riedesel 1763 in Rom geweilt.

Winckelmann hatte ihn gelehrt, die Kunst des Altertums mit Winckelmanns Augen zu sehen.

Riedesel, auf der Reise nach Sizilien, machte Halt in Rom, aber traf Winckelmann nicht an.

Der war in Porto d'Anzo, im Landhaus Albanis, wo er Erholung von seinen Schwindelanfällen suchte.

«Des Morgens stehe ich vor Tage auf, mache Feuer im Kamin von Myrtenholze, welches hier das häufigste ist; und alsdann die Cioccolate; lese drei Stunden, gehe längs dem Ufer der See und in den angenehmen Villen auf der Höhe des Ufers. Zu Mittag wird gut gegessen, in Gesellschaft einer alten Frau, die aber für allerlei Gesellschaft geschaffen

ist. Meldet sich der Schlaf, wird Mittagsruhe gehalten.»
«Dieses ist der Ort meiner Seligkeit.»

Seine Gesellschaft war die Fürstin Therese, geborene Borromeo, Witwe Carlo Albanis.

Riedesel schrieb nach Rom, was ihm im Süden vor Augen gekommen: Vasen im Museum des Prinzen Biscari, Vasen bei den Jesuiten in Palermo, Vasen bei den Benediktinern in Catania.

Winckelmann wollte die Vasen jetzt sehen.

Am 19. September 1767 fuhr er mit der Post aus Rom ab.

In Neapel wohnte Winckelmann bei d'Hancarville.

So oft er Lust hatte, ging er abends in das Haus von Sir William Hamilton.

Öfter war er Gast von Lady Orford, der Schwiegertochter Robert Walpoles, Earls of Orford. Lady Orford wohnte mit ihrem Kavalier, Don Giulio Mozzi, in einem Kasino, das dem Marchese Berio gehörte.

Die meiste Zeit verbrachte Winckelmann mit Riedesel.

Das nächste waren die Sammlungen Sir Hamiltons, vornehmlich dessen Vasen. Winckelmann kam zu dem Schluß, die mehrsten dürften vermöge ihrer Eigenschaften griechischen Meistern zugewiesen werden.

Am häufigsten gingen Winckelmann und Riedesel nach Portici, sich im Museum umzutun.

Mehrmals besuchten sie die Ausgrabungen von Pompeji.

Am Morgen des 19. Oktober 1767, einem Montag, war Winckelmann mit dem königlichen Baumeister Vanvitelli nach Caserta gegangen.

An diesem Morgen brach der Vesuv aus.

«Es krachte alles in unserem Hause, da der Auswurf geschah, und das ganze Land war mit Asche bedeckt, welche ein Steingries ist, und dem schwarzen Streusande ähnlich sieht. Den Mittwoch früh ging ich zurück nach Neapel.»

Mittwoch abend machte sich Winckelmann zusammen mit Riedesel, d'Hancarville, drei Bedienten und einem Führer wieder auf den Weg nach Portici. Die Bedienten trugen Fackeln.

«Dieses geschah zu Fuße, weil wir, um bis zur Mündung zu kommen, über schreckliche Berge von alter Lava zu klettern hatten, bis wir an die neue Lava gelangten, die wir unter der oberen verhärteten Rinde laufen sahen. Endlich aber, nach dem beschwerlichsten Wege von zwo Stunden, mußten wir, um zur Mündung zu kommen, die brennendheiße Lava übersteigen, welches unser Führer sich weigerte zu tun, und da kein Mittel war, ihn zu bewegen, nötigte ihn der Stock, und d'Hancarville ging mit einer Fackel voran, und wir folgten mit zerplatzten Schuhen, so daß uns auch die Sohlen unter den Füßen verbrannten. Da wir an die Mündung kamen, fanden wir dieselbe mit der glühenden Lava vermischt, so daß die Öffnung nicht kenntlich war. Hier war ich der erste, welcher sich auszog, um mein Hemde zu trocknen, und meine Begleiter taten desgleichen. Wir brieten an dem feurigen Flusse Tauben, und ich hielt, wie die Zyklopen, nackend meine Abendmahlzeit. Auch leerten wir ein paar Flaschen Rosoli, und da wir trocken waren, suchten wir den Rückweg, welcher aber gefährlicher war als der Hingang. Endlich kamen wir gegen Mitternacht zu unseren Calessini, tranken etliche Flaschen Lacrymä zu Resina, und fuhren nach Neapel zurück.»

Der Ausbruch habe aus drei Öffnungen angefangen, und die feurigen Ströme seien derart schrecklich gewesen, daß, wenn sie sich nicht geteilt und ein tiefes Tal angefüllt hätten, es um Portici und das Museum geschehen gewesen wäre.

«Den folgenden Tag, Donnerstag, fing der Berg von Morgen bis Nachmittag dergestalt an zu wüten, daß ich davon keinen deutlichern Begriff geben kann, als von der Beschießung einer Festung mit dem allergröbsten Geschütze, und es regnete zu Neapel kleinen Bimsstein so dick, als Schneeflocken, so daß die Sonne verfinstert war.»

Riedesel versuchte, Winckelmann zu einer gemeinsamen Reise nach Griechenland zu bewegen.

Winckelmann schwankte. Aber Ende November kehrte er nach Rom zurück.

Er wollte nach Deutschland.

Das Vaterland noch einmal wiedersehen.

Das Vaterland?

«Den väterlichen Himmel!»

«Jenseits der Gebirge Ruhe finden.»

Berlin. «Das schönste Bild» – Stosch zu umarmen, den vertrauten Freund.

Fürst Franz zu sehen, der ihn in Rom nach Dessau eingeladen hatte.

Vielleicht Karl Wilhelm Ferdinand, den Erbprinzen von Braunschweig, in seinem hölzernen Lustschloß zu Salzdahlum. Vielleicht.

Heyne, den gelehrten Mann in Göttingen.

Prinz August von Mecklenburg, der sich in Wien aufhielt und Winckelmann Gesellschaft leisten wollte auf der Reise nach Dresden, wo wenigstens Francke, sein bibliothekarischer Kollege in Nöthnitz, zu sehen wäre, und weiter bis Berlin.

Oeser in Leipzig.

Die Rückreise malte er sich als ein Fest der Freunde in der Schweiz: Mechel, Paul Usteri.

Schließlich Brüssel, Paris.

Zurück nach Rom.

Urlaub für ein Jahr!

Jedoch die Reiseerlaubnis des päpstlichen Hofes?

«… ich hoffe, die Schwierigkeiten, die man mir gegen die Reise machen wird, zu überwinden, die Erlaubnis, nach Ägypten zu reisen, würde weniger schwer, als nach Berlin hin, halten.»

«… hier befürchtet man irrig, ich werde nicht zurückkommen.»

Winckelmann meinte selbst, es werde schwerhalten, seinen Herrn und ewigen Freund, den würdigen Kardinal Albani, in dessen hohem Alter auf ein Jahr zu verlassen.

Doch den 23. März an Stosch: «Ich habe zu dieser meiner Reise sowohl von meinem Herrn als von meinen Oberen eine uneingeschränkte Erlaubnis erhalten.» «Meine Abreise wird längstens den zehnten April sein.»

Zum Reisegefährten gewann er Bartolomeo Cavaceppi, Bildhauer, Kunstsammler, Kopist, Restaurator antiker Studien, Kunsthändler. Außer der Freundschaft zu Winckelmann bewogen Cavaceppi Neugier und Geschäftssinn.

Als Präsident der Altertümer brauchte Winckelmann einen Stellvertreter. Sein Vorschlag, Giovan Battista Visconti, wurde angenommen.

Tatsächlich am 10. April, Sonntag Quasimodogeniti, verließen Winckelmann und Cavaceppi Rom.

Die Stationen sollten Loreto, Bologna, Venedig, Verona, Augsburg, München, Wien, Prag, Dresden, Leipzig, Dessau, Berlin sein.

Bald nach der Abreise aus Verona, im Trentino, bemerkte Cavaceppi an Winckelmann eine Veränderung. Winckelmann hielt die Augen oft geschlossen. Manchmal stöhnte er leise. Er mochte kaum essen und trinken.

Auf dem Weg zur Höhe des Brennerpasses rief Winckelmann aus, es sei eine entsetzliche, schaurige Landschaft. «Diese unermeßlich emporsteigenden Berge!»

Später wies er auf die Häuser und beklagte eine abgeschmackte Bauart. «Sehen Sie nur diese spitz zulaufenden Dächer!»

Es half nichts, daß Cavaceppi die Spitzdächer wegen des Schnees für angemessen erklärte.

Winckelmann sagte: «Laßt uns nach Rom zurückkehren!»

Cavaceppi redete Winckelmann gut zu. Er verstand nicht, daß Winckelmann erdrückend von Schwermut befallen war.

Unter solchem Umstand ging die Reise nach Augsburg.

Für seine Geschäfte hatte Cavaceppi kaum Zeit; Winckelmann drängte. «Weiter, weiter!»

Obwohl in München ehrenvoll empfangen, hatte Winckelmann keinen Sinn für Empfänge, Ehrungen, Gespräche.

«Weiter!»

Regensburg, am 25. Tag der Reise.

Die Fahrt abzubrechen, allein nach Rom zurückzukehren: Winckelmanns Entschluß stand fest. Aber er hatte Briefe des Kardinals Albani bei sich: an die Kaiserin Maria Theresia und an den Staatskanzler Fürst von Kaunitz.

Cavaceppi, ohne eigene Kontakte in Deutschland und des Deutschen unkundig, war ratlos, wie er allein die Reise ferner bestehen sollte.

Er konnte Winckelmann bewegen, wenigstens noch bis Wien zu reisen.

Endlich, am 12. Mai, Wien.

Bankier Schmidtmayr tat sich etwas darauf zugute, Winckelmann und Cavaceppi in seinem vorzüglichen Haus zu beherbergen.

Wien! Unter anderem Umstand hätte Winckelmann sich gefreut. Einen Tag nach seiner Ankunft wurde er von Fürst von Kaunitz empfangen und gleich darauf von Maria Theresia. Die Kaiserin schenkte ihm zwei goldene und zwei silberne Medaillen. Und Winckelmann sah Prinz August von Mecklenburg wieder.

Aber Winckelmann hatte keine Freude mehr.

Am zweiten Tag schrieb er an den Fürsten Franz zu Dessau, er sei mit einer großen Schwermut befallen und sehe kein anderes Mittel zu seiner Beruhigung als nach Rom zurückzugehen. Und er empfahl seinen Gefährten Cavaceppi.

Am selben Tag an Stosch in Berlin: Er habe sich von Augsburg an die größte Gewalt angetan, vergnügt zu sein; aber sein Herz spreche nein, und der Widerwille gegen diese zweite Reise sei nicht zu überwältigen. «... so bin ich überzeugt, daß für mich außer Rom kein wahres Vergnügen zu erhoffen ist ...»

Winckelmann fiel ins Fieber und lag tagelang zu Bett.

Cavaceppi reiste allein weiter.

Am 28. Mai verließ Winckelmann Wien. Den 1. Juni, Mittwoch, erreichte er Triest, kurz vor zwölf Uhr mittags.

Der Postkutscher hielt vor der Osteria Grande an der Piazza San Pietro.

Dem Wirt, Francesco Richter, stellte er sich als Signor Giovanni vor.

Zwei Kellner trugen Winckelmanns Gepäck ins Haus. Der Oberkellner Andreas führte Winckelmann zu seinem Zimmer Nr. 10 im 2. Stock.

Winckelmann gefiel das Zimmer. Er konnte aus zwei Fenstern auf den Mandracchio, den Binnenhafen, blicken.

Am Mittagstisch fragte Winckelmann den Wirt, ob er wisse, wann ein Schiff nach Ancona abgehe. Oder nach Venedig.

Der Wirt wußte natürlich nichts, aber ein Tischnachbar sagte: «Heute abend, nach Venedig. Das Schiff von Padrone Stefano Ragusini.»

Der Tischnachbar nannte seinen Namen: Francesco Angelis; er erbot sich, Winckelmann zu dem Schiff zu begleiten.

Padrone Ragusini, der noch auf weitere Ladung warten wollte, vertröstete Winckelmann.

Ein anderer Kapitän, Viezzoli, sollte angeblich zum Auslaufen nach Ancona bereit sein, aber er war nicht anzutreffen.

Am späten Nachmittag ging Winckelmann mit Angelis noch einmal zum Hafen. Sie trafen Viezzoli an. Der wollte am Samstag, 4. Juni, oder am Sonntag ablegen.

«So spät?» sagte Winckelmann. «Geht es nicht früher?»

Nein. Jedenfalls sagte Viezzoli ihm zu, rechtzeitig Bescheid zu geben.

An den folgenden Tagen unternahm Winckelmann mit Angelis seinen Morgenspaziergang, ging anschließend mit ihm in Griottis Café, traf ihn in der Osteria Grande am Mittagstisch, besuchte am Nachmittag noch einmal das Café mit ihm, unternahm mit ihm seinen Abendspaziergang, und das Abendbrot verzehrten sie gemeinsam in Angelis' Zimmer Nr. 9.

Der Wirt, Francesco Richter, fragte Angelis, wer dieser Signor Giovanni in Wirklichkeit sei.

Angelis wußte es nicht. Er wollte es selber wissen und sagte zu Winckelmann: «Der Wirt hat mich gefragt, wer Sie sind.»

«Ich zeige Ihnen etwas», sagte Winckelmann. Er öffnete seinen Koffer und zeigte Angelis die silbernen und goldenen Medaillen aus Wien. Er habe sie im Schloß zu Schönbrunn von Ihrer Majestät geschenkt bekommen.

Angelis war tief beeindruckt.

Vier Tage später, Dienstag, kam endlich Bescheid: Am Abend des nächsten Tages, Mittwoch, 8. Juni, gehe das Schiff nach Ancona ab.

II.

Der Kriminalaktuar Johann Veit Piechl von Ehrenlieb schrieb am 8. Juni: «... vor dem Kriminalgericht erschien der Städtische Bargello Giovanni Zanardi und eröffnete diesem Kaiserlich-Königlichen Kriminalgericht, erfahren zu haben, daß soeben ein Mord verübt worden sei, und zwar in der Osteria Grande, gelegen an der Piazza dieser Stadt.

Dieses Kaiserlich-Königliche Kriminalgericht beschloß, sich unverzüglich zu dem genannten Orte zu begeben und inzwischen den Gerichtsdiener Biaggio Dalmason zu beauftragen, Ärzte und Chirurgen zu suchen und sie anzuweisen, zur Osteria Grande zu kommen.

Das Kriminalgericht begab sich in Begleitung des Bargello Zanardi zur Osteria Grande, wo es über die rechterhand gelegene Treppe eintrat und in den zweiten Stock gelangte. Am Ende des Korridors sah man eine Menge Leute herumstehen, die sagten, dort liege ein Sterbender. Man befand sich vor einer Zimmertür mit der Nummer 10. Als man anklopfte, wurde sie geöffnet, und man trat gemeinsam mit dem Hochwohlgeborenen Herrn Stanislaus von Kupfersein, Doktor und Stadtrichter, ein, der das Amt des Staatsanwalts wahrnahm, da dieser nicht aufzufinden gewesen war. In dem Zimmer stand eine Menge Leute im Kreise, alle mit dem Gesicht zur Zimmermitte. Nachdem der Bargello einige der Leute aufgefordert hatte, Platz zu machen, sah man auf einer Matratze einen Mann liegen, dessen Rücken und Kopf durch etliche Kissen einigermaßen hochgestützt waren.

Der Mann trug sehr kurz geschnittenes Haar von grauer oder weißer Farbe, von Statur war er ziemlich groß und mager, dem Augenschein nach 50 Jahre alt oder älter, mit abgezehrtem, blassen Gesicht. Er hielt die Augen geschlossen und stöhnte. Bekleidet war er mit einem feinen Hemd, über und über blutig, und mit einer Hose aus schwarzem Leder. An den Füßen eine Art Hausschuhe aus weißem Leinen. An seiner rechten Seite stand ein Kapuzinermönch, um ihm sein Seelenheil nahezulegen.

Es wurde gesehen und beobachtet, wie der Chirurg Benedikt Fleck Brust und Bauch des Verletzten versorgte; sie waren mit weißen Leinentüchern verbunden, ebenso beide Hände; die Tücher alle blutig.

In diesem Augenblick kam ein Priester und brachte die heilige Kommunion. Da der Chirurg sagte, daß der Verletzte bereits im Sterben liege, wurde die Kommunion verschoben, jedoch die Letzte Ölung vorgenommen. Als der Verletzte wieder zu Bewußtsein zu kommen schien, wurde die Eucharistie gereicht.

Es erschienen der Stadtchirurgus Antonio Albrici und der Sanitätsphysikus Florian Enenkel; sie fragten den Chirurgen Fleck, ob sie die Wunden des Verletzten sehen könnten, aber Fleck verneinte wegen des vielen Blutes, das aus den Wunden ströme. Er sagte, er habe in der Brust drei Wunden gefunden und im Bauch zwei, alle tief und lebensgefährlich, außerdem Wunden an beiden Händen.

Die nähere Untersuchung der Wunden wurde verschoben; man ging zur Vernehmung des Verletzten über.

Nach seinen Personalien befragt, sagte der Verletzte bloß, er könne nicht sprechen. Er deutete auf einen Koffer und sagte, darin werde man seinen Paß finden.

Da er eine Kopfbewegung gemacht hatte, war um seinen Hals eine schwärzliche Verfärbung zu sehen gewesen.

Auf die Frage, wie es hatte geschehen können, daß er sich in solchem Zustand befinde, sprach er doch, allerdings mühsam: ‹Der Schurke, der im Zimmer nebenan wohnte, machte sich mit mir bekannt und befreundete sich mit mir. Ich zeigte ihm Gold- und Silbermünzen, die mir die Kaiserin in Schönbrunn geschenkt hatte. Heute morgen kam dieser Schurke in mein Zimmer. Er wollte die Münzen noch einmal sehen und wollte wissen, wer ich bin. Ich sagte, daß ich kein Aufsehen machen und deshalb meinen Namen nicht wissen lassen wollte. Da warf er mir einen Strick um den Hals, um mich zu erwürgen. Ich wehrte mich, so gut ich konnte. Ich wollte um Hilfe rufen. Aber er versetzte mir mehrere Messerstiche und floh.›

Der Sterbende wurde gefragt, ob er wisse, wer der Mann sei.

Nach einer Pause, von Atemnot gequält, antwortete er: ‹Das wird der Gastwirt wissen.›

Aufs neue befragt, wie er heiße, wie alt er sei, woher er stamme und welchen Beruf er habe, sagte er: ‹Laßt mich, ich kann nicht mehr. Aus meinem Paß werdet Ihr alles erfahren.›

Der Paß war am 28. Mai 1768 unterzeichnet von Heinrich Gabriel Collembach in Wien und enthielt den Satz: ‹Für Johannes Winckelmann, Präfekt der Altertümer in Rom, der in die Heilige Stadt zurückkehrt.›

Der Bargello, der das Zimmer verlassen hatte, trat nach kurzer Zeit wieder ein mit einem blutigen Strick in der Hand; er präsentierte ihn dem Gericht und sagte, diese Schlinge sei ihm von dem Kellner Andreas Harthaber übergeben worden mit der Bemerkung, es sei die Schlinge, die der Mörder dem Opfer um den Hals geworfen habe. Außerdem legte der Bargello dem Gericht ein blutiges Messer vor; er sagte, er habe es auf dem Tisch neben der Tür gefunden und habe gedacht, jemand von den Leuten, die sich im Zimmer drängten, habe es aufgehoben und auf den Tisch gelegt.

Der Kellner Andreas Harthaber gab das Zimmer Nr. 9 als Zimmer des Mörders an.

Das Kaiserlich-Königliche Gericht begab sich in das Zimmer Nr. 9. Es sah und beobachtete folgendes: Nahe dem Fenster stand ein Stuhl mit strohgeflochtenem Sitz. Auf dem Stuhl lagen ein Paar gebrauchte aschfarbene Lederhandschuhe; ein Paar schmutzige Strümpfe aus weißem Bombassin; zwei gebrauchte leinene Halskragen; ein schmutziges Leinenhemd mit Manschetten; ein Paar gebrauchte schwarzwollene Strümpfe; ein türkisfarbenes weißgeblümtes Tuch aus Bombassin; ein feines Leinentuch mit roten Streifen an den Rändern; eine Weste aus feiner weißer Leinwand mit Vorderschößen aus Marseiller Spitzen; schwarze geblümte Hosen aus Amiens, gebraucht und alt; ein alter Schoßrock aus weißlich geblümten Camelot mit Knöpfen aus weißem Metall, in dessen linker Tasche zwei verschlossene Briefe gefunden wurden, die mit roter Oblate gesiegelt waren.

Unter diesen Sachen fand sich auch eine neue Messerscheide, innen aus Holz und außen mit schwarzem Leder besetzt. Eine Prüfung ergab, daß das blutige Messer aus dem Zimmer Nr. 10 hineinpaßte. Auf einem anderen Stuhl lag ein alter, schwarzer, dreispitziger Hut.

Der Bargello wurde angewiesen, alle diese Sachen aufzunehmen und in die Kanzlei dieses Gerichts zu bringen.

Dem Bargello wurde ferner aufgetragen, den Verbrecher zu verfolgen und in die Gewalt dieses Gerichts zu bringen sowie den Gastwirt und die übrigen Zeugen zu vernehmen.»

Am frühen Nachmittag des gleichen Tages ging der Kriminalaktuar von Ehrenlieb erneut in die Osteria Grande und ging in das Zimmer Nr. 10. «In dem Zimmer befand sich der Hochwohlgeborene Herr Richter Johann Stanislaus von Kupfersein samt verschiedenen Leuten, unter ihnen der Chirurgus Benedikt Fleck und der Stadtchirurgus Antonio Albrici. Man wollte erkunden, ob es sich machen lasse, den Patienten bzw. Sterbenden zu vernehmen. Er lag noch immer auf einem völlig durchbluteten Lager, und die Chirurgen verneinten die Vernehmungsfähigkeit.

Später, gegen vier Uhr am Nachmittag, erschien der Gerichtsdiener Biagio Dalmason im Gericht. Er berichtete diesem Gericht, daß eben jetzt das unglückliche Opfer aus der Osteria Grande zum besseren Leben übergegangen sei, nachdem er noch sein Testament habe machen können.

Es wurde beschlossen, sogleich eine Wache zu der Leiche zu stellen. Zum Zwecke der gesetzmäßigen Ermittlung der Verwundungen wurden der Arzt und die Chirurgen beordert.»

Am 9. Juni «begab sich nachmittags dieses Kaiserlich-Königliche Kriminalgericht zur Osteria Grande und in deren Zimmer Nr. 10, gemeinsam mit den sachverständigen Herren Ärzten und Physici Domenico Gobbi und Antonio Ciovani sowie dem Stadtchirurgus Antonio Albrici, dazu als Zeugen Zuane Calligaris und Santo Gabelli.

Man sah den auf einem Bett ausgestreckten und völlig bedeckten Leichnam. Auf jeder Seite des Bettes zwei brennende Kerzen. Der Bargello deckte den Leichnam auf; er lag auf dem Rücken, Augen und Mund waren geschlossen, der Unterkiefer mit einem weißen Tuch hochgebunden, die Hände auf dem Bauch gekreuzt und mit Stücken blutiger Leinwand verbunden; der Körper war nackt, mit etlichen Verbänden auf Brust und Bauch. Er wurde von dem Bett aufgehoben und auf einen Tisch inmitten des Zimmers gelegt.

Die Binden auf Brust und Bauch voller Blut. Als sie abgenommen waren und man zuerst den äußeren Befund feststellte, fand man sieben Wunden.

Die Sachverständigen meinten, es sei eine Sektion nötig. Also wurde sie dem Stadtchirurgen Antonio Albrici anbefohlen.

Nachdem auch der Herr Sanitätsphysikus Florian Enenkel und der Chirurgus Benedikt Fleck herzugekommen waren, sezierte der Stadtchirurgus Fabrici verschiedene Teile der Brust und des Bauches.

Den Gelehrten wurde aufgegeben, ihr Gutachten schriftlich zu erstatten.

Dem Mesner von San Sebastiano, Valentino Perusich, wurde befohlen, den Leichnam unter Vorbehalt anderer Rechte etc. zu bestatten.

Dann zog sich das Kaiserlich-Königliche Gericht zurück.»

«Am 10. Juni wurde von den Ärzten und Physici Domenico Gobbi und Antonio Ciovani sowie dem Chirurgus Antonio Albrici ihr schriftlicher Befund überreicht»:

«Die Leiche, die sich in dem mit Nr. 10 bezeichneten Zimmer der Osteria Grande dieser Stadt vorfand, wurde von uns … auf Aufforderung dieses Hohen Kriminalgerichtes untersucht, und es wurden sieben Wunden an ihrer Körperoberfläche vorgefunden.

Die erste befindet sich zwischen Daumen und Zeigefinger der linken Hand; die zweite am Mittelglied des vierten Fingers der rechten Hand; die dritte an der linken Brustwarze. Die beiden ersten wurden ihrer Lage wegen als leicht beurteilt und ebenso die dritte, weil hier nicht viel mehr als die Brust verletzt war.

Der vierte Wundkanal befindet sich in der rechten Brust, von wo aus er … in die Brusthöhle eingedrungen ist und die Lunge dieser Seite mit einer 1 ½ Zoll breiten und 1 Zoll tiefen Wunde an der Stelle getroffen hat, wo sie mit dem Brustfell zusammenstößt ... Die Wunde wurde als tödlich angesehen, jedoch nicht als absolut tödlich und nicht als Ursache eines so schnellen Todes. Die fünfte Wunde, im unteren Ende des Brustbeins, reicht 1 Zoll tief durch die Knochensubstanz in das Gewebe des Mittelfells ... Diese Wunde wurde ebenfalls als tödlich angesehen, aber nicht als Ursache eines so schnellen Todes.

Die sechste, zwischen der ersten und zweiten falschen Rippe, reicht ... bis zum Zwischenraum der sechsten und siebenten echten Rippe in die Brusthöhle, wo das Zwerchfell ... in Form einer 2 ½ Zoll breiten Wunde durchbohrt wurde, entweder, weil der Mann nach vorn gebeugt war, oder das Zwerchfell höher – als sonst – lag.

Der letzte Wundkanal durchdrang die Haut zwischen der zweiten und dritten falschen Rippe der linken Seite bis zum Zwischenraum der sechsten und siebenten echten Rippe, wo er mit breiter Öffnung in die Brusthöhle einmündete, und ... er durchbohrte das Zwerchfell in einer Breite von 3 Zoll; durch diese Öffnung trat etwa der dritte Teil des Magens ein, der ... seinerseits ... bis in seine Höhlung durchbohrt war. Auf dieser Seite der Brusthöhle fanden sich etwa 5 Pfund Blut, und in der Bauchhöhle ... etwa ebensoviel.

Diese beiden Wunden haben wir wegen des großen und unvermeidlichen Blutverlustes, wegen der Unmöglichkeit der Atmung, wegen der Verletzung des Magens und seines Eintritts in die Brusthöhle als absolut tödlich und als hauptsächliche Ursache des wenige Stunden nach der Verwundung eingetretenen Todes beurteilt.»

Am 14. Juni erschien Francesco Richter, Wirt der Osteria Grande, vor Gericht.

Ob er den Grund seiner Vernehmung wisse.

«Ich wüßte keinen anderen Grund als den Vorfall, der sich am Morgen des letztvergangenen Mittwochs, dem 8. des Monats, gegen 10 Uhr in meiner Osteria zugetragen hat.»

Aufgefordert, alles von Anfang bis Ende zu berichten, sagte er: «Vor ungefähr einem Jahr kam ein gewisser Francesco Angelis in meinen Gasthof. Er kam aus Venedig, wie er sagte, blieb zwei Wochen, zahlte pünktlich, und reiste, wie er sagte, wieder nach Venedig ab.

Vor etwa vierzehn Tagen kam dieser Angelis wieder in meine Osteria. Ich war nicht im Hause, meine Frau gab ihm Zimmer 9. Ich begrüßte ihn später. Er sagte, er werde einige Tage in Triest bleiben und dann nach Venedig zurückreisen. Er hatte kein Gepäck, nur etwas Zeug in einem Tuch.

Zwei Tage später kam ein gewisser Gioanni Winckelmann in die Osteria. Er kam aus Wien und wollte nach Rom. Ich gab ihm Zimmer 10, neben dem anderen. Die beiden saßen bald beim Essen an der Table d'hôte nebeneinander, aßen gemeinsam zu Abend in Nr. 9 und gingen zusammen in die Stadt und in die Kaffeehäuser. Ich vermutete, sie seien Freunde.

Am Morgen des 8. Juni war ich mit meiner Frau in der Minoritenkirche. Nach dem ersten Segen machte ich mich auf den Heimweg. Da sah ich meine Magd Theresa mir entgegenkommen. Sie sagte, ich möge nach Hause eilen, denn der Herr in Nr. 10 spucke Blut. Ich lief zu meinem Gasthof, stieg die Treppe hinauf und sah im ersten Stock vor meinem Zimmer Blut auf dem Fußboden.

Mein Kellner Andreas sagte mir, er habe oben Lärm gehört und sei in den zweiten Stock gegangen. Er habe die Tür von Nr. 10 geöffnet. Winckelmann habe auf dem Fußboden gelegen und über ihm habe der Angelis mit einem Messer in der Hand gestanden. Der Angelis sei zur Tür gelaufen, habe Andreas beiseite gestoßen und sei geflohen.

Winckelmann aber sei schließlich nach unten, in den ersten Stock, gewankt, um mich zu rufen, aber ich war nicht da.

Ich lief zum Zimmer 10. Winckelmann saß blutüberströmt auf dem Kanapee. Der Chirurgus Benedikt Fleck verband Winckelmann. Viele Leute standen um Winckelmann herum. Eine Magd ging, die Kapuziner zu rufen. Anderen Mägden wurde befohlen, weiteres Verbandzeug etc. zu holen.

Dann kam das Hohe Gericht. Winckelmann, gestützt von den Kapuzinern, beichtete und kommunizierte. Gegen vier nachmittags starb er.

Das Gericht ließ einen Wächter im Zimmer und kam am nächsten Tag mit Ärzten und Chirurgen zurück, um den Leichnam zu sezieren. Mehr wüßte ich nicht zu sagen.»

«Befragt, wie er das Aussehen des Angelis beschreibe, antwortete er: ‹Er war ein Mann von mittlerer Größe, eher dick als mager, von brauner Gesichtsfarbe; er trug seine eigenen Haare, hinten mit einem schwarzen Bande gebunden, Farbe der Haare und Augenbrauen schwarz; an den Seiten waren die Haare größtenteils in Papilotten gelegt; sein Gesicht pockennarbig. Er trug einen Schoßrock, eine Weste aus weißer Seide mit silbernen Blümchen; schwarze Hosen, manchmal, der Farbe der anderen entsinne ich mich nicht; weiße oder schwarze Strümpfe; an die Art der Schuhschnallen erinnere ich mich nicht.›»

Am 15. Juni erschien vor dem Kriminalgericht Andreas Harthaber, Kellner in der Osteria Grande.

Ob er den Grund seiner Vernehmung sich denken könne.

«Ich nehme an, daß ich wegen des Mordes vor dieses Gericht geladen bin, der vor sieben Tagen in der Osteria Grande, wo ich diene, verübt worden ist.»

«Auf die Frage, welcher Mord zu der angegebenen Zeit an dem angegebenen Ort geschehen sei und was er darüber wisse, antwortete er: ‹Vor sieben Tagen befand ich mich gegen 10 Uhr vormittags im Eßzimmer der Osteria, das unter dem Zimmer Nr. 10 des zweiten Stockes liegt, und putzte Bestecke. Plötzlich hörte ich über mir in Nr. 10 einen Lärm, und ich dachte, die Mägde rücken das Bett an eine andere

Stelle. Das kommt zuweilen vor, wenn der Gast es so will. Aber dann hörte ich ein anderes Geräusch, das so klang, als ob jemand zu Boden fällt. Ich ging nach oben bis zur Tür von Nr. 10. Ich öffnete sie und sah den Herrn, der im Zimmer 10 wohnte, auf dem Fußboden liegen. Der andere aus Nr. 9 kniete und hatte die Hände über der Brust des Herrn. Als er mich gesehen hatte, sprang er auf, rannte auf mich zu, versetzte mir einen Stoß, der mich zur Seite warf, und floh.

Ich ging zu dem Herrn, der an Boden lag, und wollte ihn aufheben, aber er stand von selbst auf, und ich konnte sehen, daß ihm Blut aus der Brust floß. Ich fragte ihn, was geschehen sei. Er hob seine Hand und sagte: ‚Sieh, sieh, was er mir angetan hat.‘

Ich sagte ihm, er möge im Zimmer bleiben, ich würde nach einem Chirurgen laufen. Ich lief in das Haus des Chirurgen Benedikt Fleck, traf ihn aber nicht an. Den Leuten in seinem Haus trug ich auf, nach ihm zu suchen, damit er unverzüglich zur Osteria käme.

Auf dem Rückweg zur Osteria traf ich auf einen Gendarmen und sagte ihm, in unserer Osteria habe jemand einen anderen schwer verletzt.

In der Osteria fand ich den Verletzten vor dem Zimmer des Gastwirts Richter im ersten Stock stehen. Er suchte Herrn Richter, aber der war in der Kirche.

Ich sah, daß der Verletzte sich kaum mehr auf den Füßen halten konnte. Ich nahm ihn auf der einen Seite am

Arm, und Franz Pauer, der Diener des Ingenieurs, der in der Osteria wohnte, half von der anderen Seite. So führten wir ihn nach oben in sein Zimmer und setzten ihn aufs Kanapee.

Diesmal sah ich ein Messer mitten im Zimmer auf dem Fußboden liegen. Ich hob es aber nicht auf, sondern ging in den 1. Stock hinunter. Ich war nur besorgt, daß endlich der Chirurgus käme.

Vor dem Zimmer von Herrn Richter sah ich auf dem Fußboden einen blutigen Strick. Ich hob ihn auf, um zu sehen, ob er ins Haus gehörte. Da kam schon der Bargello und nahm mir den Strick aus den Händen.›»

«Befragt, ob er den Grund wisse, warum die Person aus Nr. 9 die Person in Nr. 10 verletzt habe, antwortete er: ‹Ich weiß den Grund nicht genau, aber alle Leute sagen, daß der Mann, der den anderen verletzt hat, dessen Geld wollte, und als der ihm das nicht geben wollte, habe er ihm eine Schlinge um den Hals geworfen und ihn verletzt.›

Dem Zeugen wurden das Messer und die Schlinge gezeigt. Was er dazu zu sagen habe.

Der Kellner Andreas Harthaber sagte: ‹Das Messer, das ich sehe, ist dasselbe, das ich im Zimmer des Ermordeten auf dem Fußboden liegen sah. Ebenso ist die Schlinge dieselbe, die ich vor dem Zimmer von Herrn Gastwirt Richter auf dem Fußboden fand und die mir der Bargello abgenommen hat.

Ich muß dem Gericht noch etwas sagen. Am Abend

des Tages, an dem die Person ankam, die dann in Zimmer Nr. 10 wohnte, rief mich die Person aus Zimmer Nr. 9 und befahl mir, drei Tassen Kaffee in das Zimmer Nr. 10 zu bringen. Aber der Herr in Zimmer Nr. 10 sagte zu mir, daß er keinen Kaffee wünsche und keinen Kaffee bestellt hätte.›»

«Aufgefordert, die Person des Mörders zu beschreiben, sagte der Kellner: ‹Ich könnte ihn nicht anders beschreiben als einen Mann Ende 30, eher dick als mager, der seine eigenen schwarzen Haare trug, einen Mann mit schwarzen Augenbrauen und dunklen Augen, pockennarbigem Gesicht, aufgestülpter Nase, niedriger Stirn.›»

Francesco Arcangeli, wie der Angelis mit richtigem Namen hieß, wurde auf dem Weg nach Laibach in Planina festgenommen, weil er keinen Paß besaß. Man führte ihn nach Postumia und fragte ihn, ob er ein Deserteur sei oder den Mord in Triest begangen habe. Er gestand den Mord. Jetzt wurde er nach Triest gebracht.

«Am Nachmittag des 15. Juni legte der Bargello dem Gericht einen schriftlichen Bericht vor: Etwa 3 ½ Uhr dieses Nachmittags sei er zur Großen Stadtwache befohlen worden, um einen Arrestanten in Empfang zu nehmen. Es sei ihm dort derselbe Mann übergeben worden, der am 8. dieses Monats das grausame Verbrechen an Gioanni Winckelmann begangen habe. Der Mann heiße Francesco Arcangeli, gebürtig aus Zampilli, einem Ort im Staate Florenz. Er sei in Zelle 2 des Kerkers gebracht worden.»

«Daraufhin befahl das Gericht, den Angeklagten vorzu-
führen.

Beschreibung: Es handelt sich um einen Mann von mittlerer Größe und entsprechendem Körperbau, mit braunem
pockennarbigen Gesicht, bleich, mit eigenen nach Schwarz
gehenden und hinten zum Zopf geflochtenen Haaren,
schwarzen Brauen, niedriger Stirn, bekleidet mit einem
Hemd von gewöhnlicher weißer Leinwand, darüber einer
Weste aus hellblauer Wolle, darüber einem knielangen Matrosenmantel, alt und von grauer Farbe, einer Hose aus hell-
tabakbraunem Tuch, Strümpfen aus grobem weißen Garn
und groben alten Schuhen ohne Schnallen; in den Händen
hält er einen alten schmutzigen Hut.

Zu seinen Personalien sagte der Inquisite u. a.: ‹Ich stamme aus dem Dorf Campiglio im Florentinischen. Mein
Vater war an drei Schiffen in Livorno beteiligt. Als seine
Geschäfte fehlgeschlagen waren, kam er nach Campiglio
zurück und bearbeitete seine Ländereien. Wir waren fünf
Kinder, vier Jungen und ein Mädchen. Ich bin jetzt ungefähr 38 Jahre alt. Meine Frau heißt Gioanna geborene Ra-
chaelli. Sie ist in Venedig. Ich habe keine Kinder, bin von
Beruf Koch, römisch-katholischer Religion. Nach Triest
bin ich gereist, um zu sehen, ob ich hier zu einem Stück
Brot kommen könnte.

Ich schloß Freundschaft mit einem gewissen Herrn
Gioanni, dessen Familiennamen ich nicht weiß oder, besser
gesagt, der mir nicht erinnerlich ist. Da er in der gleichen

Osteria wie ich wohnte, im zweiten Stock in Zimmer Nr. 10 neben meinem Zimmer Nr. 9, aßen wir gemeinsam, mittags an der Table d'hôte, abends in meinem Zimmer. Wir gingen miteinander spazieren, und zwei- oder dreimal am Tag tranken wir im Kaffeehaus Kaffee. Dann passierte mir das, was mir passiert ist.›

Was das sei.

Er sagte: ‹Heute vor einer Woche, gegen neun oder zehn Uhr morgens … Ich griff zum Messer, das ich in der Tasche trug, und stach ihn, ich weiß nicht, ob in die Brust oder tiefer, und ich weiß auch nicht, wieviel Wunden ich ihm zufügte, und weil der Kellner ins Zimmer gekommen war, verließ ich es in völliger Verwirrung, nur in Hemdsärmeln, ohne Hut auf dem Kopf, ohne Rock, nur mit einer seidenen himmelblauen Weste, und floh aus der Stadt.›»

Der Kriminalaktuar Johann Veit Piechel von Ehrenlieb notierte: «Triest, den 24. Juni; im Kriminalgericht kam das gnädige Dekret der Hohen Kaiserlich-Königlichen Zivilstatthalterschaft der Stadt und des Hafens von Triest an: ‹Da es dieser Statthalterschaft obliegt, darüber … zu wachen, daß die rächende Gerechtigkeit mit aller Exaktheit und Schnelligkeit verwaltet werde, besonders in den Fällen, die die öffentliche Sicherheit angehen, und man Francesco Arcangeli, notorischen Mörder des Herrn Gioanni Winckelmann, in der Gewalt hat, und da in jeder Hinsicht zu fordern ist, daß der gegen diesen bereits begonnene Prozeß mit der größtmöglichen Eile fortgeführt werde, wird der

Herr Kriminalrichter beauftragt, mit allen Kräften auf die schnelle Fortführung desselben bedacht zu sein, wobei alle anderen Fälle von geringerer Bedeutung einstweilen beiseite gestellt werden. Damit man den täglichen Fortschritt desselben wirklich erkennen möge, wird der Kriminalaktuar die Pflicht haben, täglich dieses Amt mündlich zu unterrichten, was an demselben getan wurde, damit in jedem Falle jedem, der es erwartet, Rechnung gelegt werden könne.››

Dieser Befehl der Statthalterschaft war gerichtet an den Edlen und Hochgelehrten Herrn Domenico Sacchi, beider Rechte Doktor und Kriminalrichter in Triest, und war unterzeichnet von Giuseppe Cerchei und Antonello Felice Graf von Frankolsberg.

Der Kriminalaktuar notierte noch, der gnädige Befehl der Statthalterschaft werde ausgeführt werden.

In der Folge vernahm das Gericht Franz Pauer, Diener eines Leutnants der Ingenieurtruppen, welcher in der Osteria Grande wohnte.

«Er sagte aus: ‹Am Morgen des 8. Juni war ich in meinem Zimmer in der Osteria. Gegen zehn Uhr bemerkte ich Unruhe im ersten Stock, und zwar im Treppenhaus. Ich lief hin und sah den Herrn aus Zimmer Nr. 10 blutüberströmt am Treppengeländer stehen. Er preßte die rechte Hand auf seine Brust, mit der linken umklammerte er das Geländer. Ich sah, daß er eine Schlinge um den Hals hatte; das blutige Ende der Schlinge hing ihm auf die Brust. Der Fremde sah aus, als fiele er im nächsten Moment zu Boden. Ich ging zu ihm hin und stützte ihn. Leute standen da und starrten auf den Verletzten, aber keiner half, auch die Mägde taten nichts. Da kam der Chirurgus, der Benedetto genannt wurde, er nahm den anderen Arm des Fremden. Es kam auch jemand anderes und nahm dem Verletzten die Schlinge vom Hals. Jetzt brachten wir ihn in sein Zimmer und setzten ihn auf das Kanapee. Der Chirurgus öffnete dem Verletzten das blutbefleckte Hemd und wusch ihm die Brust. Aber aus den Wunden strömte das Blut. Ich ging aus dem Zimmer zu meinem Herrn.›»

«Dem Zeugen Franz Pauer zeigte man im Kerker den Häftling Francesco Arcangeli, und Pauer sagte, das sei der Mann, der im Zimmer Nr. 9 gewohnt habe.»

«Vor Gericht erschien Joseph Sutter, Diener des Herrn Baron de Ceschi, der in der Osteria Grande wohnte.

Joseph Sutter sagte: ‹Ich bediente gerade meinen Herrn und ging auf den Treppenabsatz, um in der Küche Wasser zu holen. Plötzlich sah ich den italienischen Fremden, der im zweiten Stock im Zimmer Nr. 9 wohnte. Er lief wie wild treppab, in Hemdsärmeln, nur mit Weste, ohne Hut; sein Hemd war auf der Brust mit Blut befleckt.

Gleich nach ihm kam der Kellner Andreas die Treppe herunter. Und etwas später der andere Fremde aus Zimmer 10. Sein Hemd war vollgeblutet.

Ich ging in das Zimmer meines Herrn und erzählte ihm das. Mein Herr befahl mir, wieder auf den Treppenabsatz zu gehen und nachzusehen, was geschieht.

Ich sah den Fremden aus Zimmer Nr. 10 am Treppengeländer lehnen, das Blut lief ihm von der Brust und von den Hüften. Außerdem hing ihm irgend etwas von Brust und Bauch.

Ich lief zu meinem Herrn und sagte, daß der Fremde verletzt sei und daß ihm die Eingeweide aus dem Bauch hingen. Mein Herr befahl mir, noch einmal hinzugehen und besser zu erkunden, was geschehen war.

Der Fremde stand noch immer am Treppengeländer. Ich dachte, jetzt stürzt er zu Boden. Ich wollte ihm helfen, aber die Köchin des Herrn von Raab warnte mich. Der Mann sei verrückt geworden und habe sich selber verletzt.

Ich sah genauer hin und sah eine Schlinge um seinen Hals; das Ende der Schlinge hing über die Brust.

Ich erzählte das meinem Herrn. Auf seinen Befehl lief ich zum dritten Mal zur Treppe. Da war niemand mehr zu sehen.

Also ging ich zum Zimmer Nr. 10. Der Verletzte saß auf einem Kanapee, und der Chirurgus Benedetto versorgte ihn.

Mitten im Zimmer lag ein spitzes Messer mit blutiger Klinge. Ich hob es auf und legte es auf ein Tischchen neben der Tür.

Ich sah, daß der Verletzte drei Wunden in der Brust und zwei im Bauch hatte; alle bluteten sehr.

Von den Mägden, die herumstanden, hörte ich, daß dieser arme verratene Mann von seinem Zimmernachbarn so verletzt worden war.

Ungefähr eine Woche nach der Flucht des Übeltäters hörte ich, der Mann ist erwischt worden. Am Nachmittag habe ich gesehen, daß ein Mann in einem Matrosenmantel von Soldaten in den Kerker geführt wurde. Ich folgte dem Trupp und ging in das Zimmer des Bargello, der den Mann visitierte. Ich habe in dem Mann den Fremden aus Zimmer Nr. 9 erkannt.›

Der Zeuge Sutter erkannte vor Gericht das Messer wieder, das er auf dem Fußboden gefunden, aufgehoben und auf das Tischchen gelegt hatte.»

«Am 27. Juni erschien der Diener Gioanni Movio vor Gericht. Er sagte, daß er am 8. Juni gegen 10 Uhr in die Küche der Osteria gegangen sei, um Wasser für seinen Herrn Carlo Maffei zu holen. Auf dem Rückweg habe er den Fremden aus Zimmer 10 die Treppe vom 2. Stock herunterkommen sehen. Um den Hals habe dem Fremden eine Schlinge gehangen. Er sei voller Blut gewesen und habe sich kaum auf den Beinen halten können.

Der Fremde habe ihm ein Zeichen gemacht, er solle ihm die Schlinge abnehmen. ‹Also stellte ich den Krug mit dem Wasser beiseite, stützte den Fremden, nahm ihm die Schlinge ab, die eng um seinen Hals lag, und ließ sie, so blutig wie sie war, vor dem Zimmer des Gastwirts fallen.›»

Die Vernehmung des Schiffseigners Giacomo Viezzoli, der Magd Theresia Paumeister, des Gaetano Vanuzzi und des Kaffeehausbesitzers Gasparo Griotti ergab nichts Neues.

Am 4. Juli wurde der Inquisite ein zweites Mal vernommen.

«Auf die Frage, wann, wie, auf welche Weise er den besagten Herrn Gioanni kennengelernt habe, sagte er: ‹Ich befand mich schon in Triest und wohnte in der Osteria Grande in Zimmer 9, als eines Vormittags kurz vor 12 Uhr der genannte Herr Gioanni mit der Post ankam; mir scheint, es war ein Mittwoch; ihm wurde das Zimmer 10 neben dem meinen zugewiesen. Danach kam er noch zum Mittagessen an den runden Tisch, wo ich bereits mit verschiedenen anderen Herren und Offizieren und dem Wirt Francesco Richter und seiner Frau Platz genommen hatte; im ganzen mochten wir wie üblich etwa 15 Personen gewesen sein.›

Gefragt, wie er den Vornamen des benannten Giovanni, ferner, ob und wie er dessen Familiennamen erfahren habe, antwortete Arcangeli: ‹Es war am zweiten oder dritten Tag nach seiner Ankunft. Wir waren am Nachmittag gemeinsam spazieren gegangen, und ich hatte ihm von der Frage des Gastwirts, wer er wohl sei, erzählt. Er hatte mir geantwortet, er sei kein anrüchiger Mann. Wir kehrten in die Osteria zurück. Kurz darauf kam er in mein Zimmer und zeigte mir einen offenen Brief, an gewisse Bankiers in Venedig adressiert, die ihm, wie er sagte, bei der Fortführung seiner Reise behilflich sein sollten. Sodann zeigte er mir einen Paß der Wiener Post und gab ihn mir ganz zu lesen, aber ich las gar nichts davon, sondern gab ihn zurück. Bei dieser Gelegenheit sagte er, daß er Gioanni heiße; er sagte mir auch seinen Familiennamen, aber den habe ich jetzt nicht mehr in Erinnerung.›

Arcangeli wurde gefragt, ob er wisse oder gehört habe, daß der genannte Gioanni Medaillen aus Silber und Gold gezeigt habe.

Arcangeli sagte: ‹Bei einem Spaziergang sagte er, daß er mir Medaillen zeigen werde. In der Tat, als wir nach Hause zurückgekehrt waren, zeigte er mir, bevor wir zu Tisch gingen, zwei goldene und zwei silberne Medaillen. Ich fragte den Gioanni, welchen Wert diese Medaillen wohl hätten, und er sagte es mir.›

Die Frage des Gerichts, ob er bei seiner Ankunft in Triest irgendwelches Gepäck gehabt und woraus es bestanden habe, beantwortete Arcangeli so: ‹Ich hatte kein anderes Gepäck als zwei dünne Hemden mit Manschetten; zwei Hosen, eine aus geblümtem Perpetual, eine aus tabakfarbenem Tuch; drei Paar Strümpfe, zwei aus weißem Bombassin und eines aus schwarzer Wolle; eine weiße Weste aus feiner Leinwand, die vorderen Viertel aus Marseiller Stickerei; zwei Paar Schuhe; vier oder fünf weiße Kragen mit kleinen Streifen; drei Taschentücher, das eine weiß- und türkisgestreift, das andere aus türkisfarbenem geblümtem Bombassin, das dritte aus weißer Leinwand mit roten Streifen. Alles das trug ich in einem gestreiften Tuch. Dann die Weste, den Schoßrock und den Hut.›

Ob und wieviel Geld er bei seiner Ankunft in Triest bei sich gehabt habe.

‹Ich hatte fünf Zechinen und 2 oder 3 Siebzehner.›

In seiner Vernehmung am 5. Juli sagte Arcangeli, nicht er habe Freundschaft mit Winckelmann zu schließen gesucht, sondern Winckelmann mit ihm.

Gefragt, wie es habe geschehen können, daß Winckelmann still stehenblieb, ohne sich zu wehren oder zu entweichen, antwortete Arcangeli: ‹Als ich das Messer aus der Tasche zog, packte er das Messer mit seiner einen Hand an der Klinge, mit der anderen Hand hielt er meinen Arm fest. Wir rangen miteinander und fielen mit den Knien auf den Fußboden. Er ließ meinen Arm los und fiel auf den Rücken. Ich zog das Messer aus seiner Hand und versetzte ihm die Stiche.›»

Am 6. Juli hatte der Kellner Andreas Harthaber zum zweiten Mal vor Gericht zu erscheinen.

«Er möge mit größerer Klarheit beschreiben, wie er in Zimmer Nr. 10 den dort wohnenden Fremden auf dem Fußboden ausgestreckt vorgefunden und wie der in Zimmer Nr. 9 wohnende Fremde, die Hände über der Brust des anderen, kniete.

Der Kellner Andreas sagte: ‹Ich stieg die Treppe hinauf und öffnete die Tür des Zimmers Nr. 10. Ich sah den in diesem Zimmer wohnenden Fremden völlig ausgestreckt auf dem Boden liegen, in Hemdsärmeln, Hosen, Strümpfen und Schuhen. Der andere kniete mit einem Bein auf ihm und drückte die Hände auf dessen Körper, aber ich weiß nicht genau, ob auf die Brust oder den Bauch, und hatte sein Gesicht der Tür zugewandt. Er sprang augenblicklich auf, lief gegen mich, gab mir einen heftigen Stoß, machte sich so den Weg frei und floh.›»

Für den 11. Juli war die letzte Vernehmung Francesco Arcangelis vorgesehen. Aber der Häftling hatte Fieber bekommen; die Vernehmung fand am 12. Juli statt.

«Arcangeli sagte u.a.: ‹Es ist wahr, daß ich das Übel getan habe. Aber Winckelmann hat mehr Schuld als alles, weil er mir seine Münzen gezeigt und Freundschaft mit mir geschlossen hat. Der Teufel hat mich verblendet, dieses Verbrechen zu begehen, das ich offenbart habe und das mir im höchsten Maße leid ist.›

Das Gericht erklärte Arcangeli, er habe ein Verbrechen und schweren Exzeß gegen die göttlichen und die menschlichen Gesetze begangen, weshalb er bestraft werden müsse. Was er zu seiner Entlastung vorzubringen habe.

Arcangeli sagte: ‹Ich erkenne mein Verbrechen. Zu meiner Entlastung kann ich nur dies sagen: Wenn Gioanni Winckelmann keine Freundschaft mit mir geschlossen und mir nicht von sich aus seine Medaillen aus Gold und Silber gezeigt hätte, dann hätte ich nie daran gedacht, ihn zu ermorden.›

An selbigem Tag erschien der Rechtsbeistand des Häftlings, Saverio Lovisoni, und bat das Gericht um eine Kopie der Akten.

Schon am 13. Juli reichte Lovisoni seine Verteidigungsschrift ein. Er nannte als einen Grund für Strafmilderung das freiwillige Geständnis Arcangelis. Arcangeli ließ er sagen, er finde keine Gründe, sich zu verteidigen, sondern er erflehe nur Gnade, Barmherzigkeit und Erleichterung der Strafe.»

Am 18. Juli notierte der Kriminalaktuar des Kaiserlich-Königlichen Stadt- und Provinz-Kriminalgerichts zu Triest, Johann Veit Piechl von Ehrenlieb, das Gericht habe beschlossen, daß er, Johann Veit Piechl von Ehrenlieb, dem des Mordes schuldigen Arcangeli das Urteil mündlich eröffnen solle, und zwar wie folgt:

«Wegen des von Euch an der Person des Gioanni Winckelmann am Morgen des letztvergangenen 8. Juni begangenen Verbrechens und Mordes hat das Hohe Kaiserlich-Königliche Stadt- und Provinzialgericht in Zivil- und Kriminalsachen Euch verurteilt, wie Ihr verurteilt bleibt, lebend von oben nach unten gerädert zu werden, bis daß die Seele vom Körper getrennt werde, und daß alsdann Euer Körper auf dem Rade ausgestellt werden soll.»

Es heißt, nach dem ersten Schrecken habe Arcangeli wegen der Hinrichtungsart gerast, dann aber, dank des religiösen Eifers dessen, der bestimmt war, ihm beizustehen, sich darein ergeben.

Der Städtische Bargello Zanardi berichtete dem Gericht am 21. Juli über die Vollstreckung des Urteils am Mittwoch, 20. Juli:

«Es geschah gegen 10 Uhr morgens auf einem hohen Gerüst auf dem öffentlichen Platz gegenüber der Osteria Grande, und zwar derart, daß er vom Henker lebend gerädert wurde, von oben beginnend nach unten. Darauf wurde sein Leichnam an den Maina genannten Ort gebracht und dort auf einem hohen Rade ausgesetzt, wo er bleiben soll bis zu seinem Verfall. So ist es.»

CONCERT SPIRITUEL

I.

Sommer 1773. Unweit des St.-Martins-Klosters zu Mönchsdeggingen, mitten im Wald, unter einem Baum liegend ein
verzweifelter Mann.

Die Jagdgesellschaft des Fürsten Kraft Ernst zu Oettingen-Wallerstein fand ihn. Man brachte ihn nach Wallerstein.

Der Mann, nachdem er sich einigermaßen erholt, antwortete auf die Frage, woher er komme: «Aus Babenhausen.»

Was er dort getan.

«Gespielt, in der Hofkapelle des Grafen Fugger.»

Welches Instrument er spiele.

«Kontrabaß.»

Wo er die Musik erlernt.

«Im Jesuitenseminarium.»

Wo.

«Zu Prag.»

Was er im Wald bei Mönchsdeggingen ...

«Vom Kloster St. Martin gekommen.»

Was er im Kloster gewollt.

«Eine Gabe erbitten.»

Woher er stamme.

«Aus Böhmen.»

Wie er heiße.

«Antonio Rosetti.»

Wohin er gewollt.

«Nach Wallerstein.»

Da sei er.

Hat Rosetti gesagt: «Ich wünsche nichts sehnlicher als ein Mitglied der Hofkapelle zu werden.»?

Hat wer geantwortet: «Da Sie fremd für uns sind, müssen Sie sich vom Kapellmeister prüfen lassen.»?

Hat das der Intendant der Hofmusik, Herr Ignaz Beecke, gesagt? Oder gar der Kabinett-Sekretär des Fürsten, Herr Hofrat Chamot?

Seit September gehörte Rosetti zur Livrée des fürstlichen Hofes und spielte in der Hofkapelle. Mittellos war er nicht mehr, aber gutgestellt konnte er sich nicht nennen. Rosetti war 23 Jahre alt und sein Kopf voller Musik. Er wollte komponieren.

Jemand in Wallerstein sagte zu Rosetti: Daß er zuvor am Fuggerhof in Babenhausen gespielt, das habe sich herumgesprochen. Wo aber sei er gewesen, ehe er nach Babenhausen ...

«In Rußland.»

«In Rußland?!»

«Bei dem Russisch Orlowschen Regiment.»

Nur das.

Nicht, ob er dort Regimentsmusikus gewesen oder als Compositeur.

Nicht bei welchem Orlow. Bei Grigorij Grigorjewitsch Orlow, Günstling Katharinas II., oder bei Alexej Grigorjewitsch Orlow, welcher den Mann Katharinas, Peter III., erdrosselt hatte? Oder bei welchem Orlow.

Auch nichts über den Weg nach Rußland.

Im Jahr darauf, da Rosetti hofamtlich erstmals als Musikus der Hofkapelle geführt worden war, kamen böhmische Landsleute nach Wallerstein, sämtlich vorzügliche Instrumentalisten. Die Begrüßung lebhaft, freudig:

Der Violinist Anton Janitsch, nur wenig jünger als Rosetti, wurde erster Geiger. Der Oboist, Cellist und Gambist Josef Fiala, wenig älter als Rosetti, Komponist, aus Lochovice in Mittelböhmen. Und Joseph Reicha, wenig jünger als Rosetti, Komponist, aus Chudenice in Westböhmen.

Ob Graf zu Oettingen-Wallerstein, jetzt erblicher Reichsfürst, ahnte, wen er mit Rosetti gewonnen hatte?

Oft aß Rosetti beim Wallersteiner Gastwirt Johann Neher zu Mittag. Das Essen servierte ihm die Gastwirtstochter Rosina. Auch abends, wenn er manchmal ein Glas Wein trank, sah er sie. Sie gefiel ihm.

Rosina mochte den kleinen, hageren, kindlich guten

Mann sehr. Er war anders als andere Gäste. Ihm konnte sie ohne Scheu sagen, wie gern sie schöne Lieder singe.

Rosetti und Rosina heirateten im Januar 1777. Im April kam ihre Tochter Rosina Theresia zur Welt.

Anfang Dezember verließ der Hornist Johann Nisle die Wallersteiner Hofkapelle. Der Fürst überwies Rosetti ab Dezember die Besoldung des abgegangenen Nisle, 400 Gulden Jahresgehalt.

Im Herbst 1781 ließ der Hof Rosetti sagen, er möge sich zu einer Reise nach Paris bereiten.

«Paris?»

Paris.

«Ich freue mich!» sagte Rosettis Frau. «Die erste Reise nach deinem Aufenthalt in Ansbach, von dem du mir erzählt hast.»

«Da war ich drei Wochen am Hof des Markgrafen.»

«Jetzt belohnt dich der Fürst für deine Arbeit mit einer Reise nach Paris. Für alles, was du geschrieben hast. Das Requiem für die Fürstin Marie Therese. Die Sinfonien. Die Konzerte, für Klavier, für Geige, für Flöte, für Oboe, für Klarinette. Dein Bläserquintett ...»

«Du hast es dir gemerkt ...»

«Ich weiß gar nicht, was ich alles aufzählen soll.»

«Der Fürst will mich nicht belohnen. Er denkt wohl, ich könnte in Paris etwas Geld verdienen. Und ich soll noch lernen, von der Pariser Musik und den Pariser Musikern.»

Rosetti verabschiedete sich Ende Oktober 1781 von seiner Frau, von der vierjährigen Rosina Theresia und von der kleinen Antonia Theresia, die im Mai 1779 geboren worden war, und ging auf die Reise nach Paris.

Die Reise verlief nicht ohne Unpäßlichkeit. «In Châlons überfiel mich – vermutlich wegen der schnellen Luft-, Speis- und Tranks-Veränderung – eine alte Krankheit, und ich mußte mich allda fünf Tage aufhalten, welches mir eine Depence von 6 Louisdor verursacht hat», schrieb Rosetti am 12. Dezember aus Paris, wo er seit 14 Tagen logierte, an den Fürsten zu Oettingen-Wallerstein.

Er schrieb dem Fürsten nicht, wo er wohnte, aber dem Intendanten der Wallersteiner Hofkapelle, Ignaz Beecke, und dem Kabinett-Sekretär des Fürsten, Hofrat Philipp Chamot, nannte er als seine Pariser Adresse Hôtel de la Reine in der Rue de Beaune, nahe dem Pont Royal.

Rosetti ließ Beecke gleichen Tags wissen, sein Logis bestehe aus einem kleinen, aber doch sauberen Zimmer.

An Chamot schrieb er, Logis, Kost und Bedienung kämen ihn beiläufig 8 – 9 Louisdor monatlich.

So viel er Ehre genieße und so viel er schon Bestellungen habe, kenne er doch noch nicht das Pariser Geld, und vor 2 Monaten werde er nicht viel Barschaft erhoffen dürfen; das sei seine traurige Aussicht. 26 Louisdor habe er von zu

Hause mitgebracht, die seien hin! 10 Louisdor von dem Bankier Eberts ausgenommen, die aber auch schon bis auf 2 geschmolzen seien, obwohl er sich außer Kleinigkeiten nichts als ein schwarzes Kleid angeschafft habe, das allerdings unentbehrlich sei. «In Paris scheint mir in der Ausgabe ein Louisdor wie in Wallerstein ein kleiner Taler.»

Chamot durfte auch genauer erfahren, was es mit Rosettis ungewolltem Aufenthalt in Châlons auf sich hatte. Seine Reise wäre ziemlich gut abgelaufen, hätte ihn in Châlons nicht sein Bandwurm so angegriffen, daß er den gebuchten Wagen habe verlassen müssen. In Paris erst sei sein Kostgänger (von ungefähr 18–20 Ellen) durch die berufenste Geschicklichkeit des Doktor Goetz innerhalb von 24 Stunden wirklich ganz von ihm getrieben worden.

Schließlich Rosettis dringende Bitte, Chamot möge Seiner Durchlaucht, dem Fürsten, beibringen, wie sehr er noch eines abermaligen Vorschubs bei Bankier Eberts bedürfe. Er bitte lediglich um gnädigste Vermittlung, damit er das Nötigste erhalten könne, welches er Monsieur Eberts nach erwarteten Einnahmen sogleich zurückerlegen werde.

Rosetti legte bei Chamot auch ein Wort für den Wallersteiner Hofkoch Johann Haller ein, der sich in Paris aufhielt, um die französische Küche zu lernen. «Auch Haller ist in den bedenklichsten Umständen; ohne Dienst, ohne Geld und wartet täglich auf einige Unterstützung, die ihm höchst nötig ist. Täglich ist er bei mir und jammert: so schwer es ihm falle, auf seine Briefe keine Antwort zu erhalten, desto schwerer dünke es ihn, nicht zu wissen, in was er sich einige Ungnade verdient hätte.

Ich wiederhole meine obige Bitte und harre unter allmöglicher Verehrung – Euer Wohlgeboren Ergebenster Diener.»

Jules Hercule Prince de Rohan-Guémenée, Louis François Joseph de Bourbon Prince de Conti, Louis Philippe d'Orléans Duc de Chartres, Charles Ernest Baron de Bagge, Pierre Camasse de Fontenet, Louis Claude Dupin de Francueil, Adrienne Cathérine de Noailles –

wohlversehen mit Empfehlungsschreiben des Fürsten zu Oettingen-Wallerstein und des Intendanten der Wallersteiner Hofkapelle, Ignaz Beecke, standen Rosetti die Türen der Einflußreichen des Pariser Musiklebens offen. Rosetti konnte Kompositionsaufträge erwarten.

Seinem Herzen näher standen die Musiker, denen Ignaz Beecke ihn empfohlen hatte. Allen voran der Hornist Johann Palsa aus Böhmen, der befreundet war mit dem Hornisten Carl Türrschmidt, dem Sohn des Wallersteiner Hornisten Johann Türrschmidt, den Rosetti natürlich gut kannte.

Palsa, Türrschmidt, die beide in der Kapelle des Prinzen de Rohan-Guémenée spielten, und Rosetti trafen sich, köstlich bewirtet von Madame Palsa.

«Du weißt», sagte Palsa zu Rosetti, «daß Carl und ich voriges Jahr im März und dieses Jahr im April Hornkonzerte von dir im Concert Spirituel gespielt haben.»

Das wußte Rosetti. Das Pariser Concert Spirituel, die größten Konzertaufführungen Frankreichs in der «Salle des Cent Suisses» in der ersten Etage des Palais des Tuileries.

Ignaz Beecke hatte Rosetti ein Empfehlungsschreiben an den Direktor des Concert, den Sänger Joseph le Gros, mitgegeben.

Aber dieses Schreibens bedurfte es nicht. Zwei Jahre zuvor waren drei seiner Sinfonien zum ersten Mal im Druck erschienen bei Le Menu et Boyer in Paris.

Le Gros bat Rosetti, für das Concert Spirituel eine Sinfonie zu schreiben.

Rosettis Musik gehörte schon zum Repertoire.

Mitte Januar 1782 schrieb Rosetti an den Fürsten zu Oettingen-Wallerstein, er sehe in Paris alle seine Wünsche vollkommen erfüllt. «Mir fehlt es nicht an hinlänglichen Bekanntschaften in den ersten Häusern, meine musique wird mehr geschätzt als von 10 andern weit würdigern Meistern; ich selbst bin überall vom Prinzen bis zum Musiker geliebt; mein Talent hat alle Gelegenheit, sich durch die Verschiedenheit der hiesigen musique besser zu bilden; ich sehe die große große Welt, und ohngeachtet der Verlegenheit, in die mich meine kränklichen Umstände versetzen, sehe ich doch zum Voraus meine Rechnung so gemacht: daß ich mit Ehren hier abziehen und mit Ehren in Wallerstein erscheinen kann.»

Am 5. März schrieb Rosetti dem Fürsten, er trachte

danach, Anfang Mai nach Wallerstein zurückzukehren. 6 Sinfonien habe er unter untertänigster Dedikation an Hochfürstliche Durchlaucht in Paris stechen lassen; ein Exemplar werde er durch den Gärtner Grieß Höchstdenenselben zuschicken, so, wie er von seinen Pariser Arbeiten das meiste, wenigstens das Beste nach Haus bringen werde. «Sinfonien hört man hier keine als von Haydn und – / : wenn ich's sagen darf: / von Rosetti! – Hin und wieder noch von Ditters.»

Schließlich, Mitte April: «Die musique fängt an, bei annahenden Tagen sich ganz zu verlieren, und da ich meinen Zweck in ziemlichem Grade erreicht habe: so ist jetzt meine Beschäftigung, mein ausstehendes Geld einzusammeln und bei meinen Bekanntschaften Abschied zu nehmen. Ich gedenke, den 24. oder 25. dieses Monats hier abzugehen und Anfang Mai die Gnade zu haben, Euer herzoglichen Durchlaucht für die mir gnädig erlaubte Reise den untertänigen Dank mündlich abstatten zu können.»

Im Mai kam Rosetti in Wallerstein an.

Trotz der Pariser Einnahmen reichte das Geld für die vierköpfige Familie Rosetti nicht aus. So groß Rosettis Wertschätzung in Paris, Wien, Amsterdam auch war, sein Wallersteiner Gehalt hatte man nicht erhöht.

Da half es kaum, daß Rosetti im Frühjahr 1783 noch einmal an den markgräflichen Hof in Ansbach gehen durfte und im Winter nach Mainz, Frankfurt, Darmstadt,

Speyer – gemeinsam mit dem Freund Christoph Hoppius, Fagottist in der Wallersteiner Hofkapelle.

Der Fürst bestimmte Rosetti im April 1785 zum Wallersteiner Hofkapellmeister, aber für diese Arbeit bekam er nur wenig; Chorregent, der er zusätzlich hatte werden wollen, wurde er nicht.

Rosetti mußte sich in Wallerstein Geld borgen.

Rosettis Frau sagte: «Hab keine Angst. Ich besitze noch Geld aus meiner Aussteuer. Das geben wir jetzt aus.»

Am 1. Februar 1789 schrieb Rosetti an den Fürsten: «So flehe ich nochmals um schleunige Hilfe. Jeder Tag Aufschub bringt mich der Schande, einigen hiesigen Bürgern preisgegeben zu sein, und meinem unausbleiblichen Verderben näher. Mit letztverflossenem Jahr ist meine letzte Quelle versiegt, das war der Rest des Vermögens meines Weibs – er ist zugesetzt. Kränklich, zwischen vier Mauern fühlt dieser sein Elend, sonderlich aber Nahrungssorgen weit peinlicher als jener in freier Luft. – Und nun ein Blick in die Zukunft! Ein Vater, der seinen Kindern gern Vater wäre, – und nicht sein kann! Ich mal's nicht aus, das Gemälde von meiner künftigen Aussicht ...»

II.

Eines Abends Mitte Februar 1789 sagte Rosetti zu seiner Frau: «Carl August Westenholtz ist gestorben.»

«Wer ist das.»

«Er war der Kapellmeister in Ludwigslust.»

«In Ludwigsburg, meinst du.»

«Nein, in Ludwigslust.»

«Wo ist das.»

«In Mecklenburg.»

«Ach, du meine Güte.»

«Ich möchte nach Ludwigslust.»

«Du wirst es schon für uns richten. Schlechter als hier kann es nicht werden.»

«Besser. Besser!»

Anfang Mai fügte es sich, daß Rosetti nach Ludwigslust reisen konnte.

Rosettis Frau fragte: «Wie weit ist es?»

«70, 80 Meilen.»

«Oje!»

Rosetti hustete. «Ich werde mich nirgends aufhalten. Nur schnell nach Ludwigslust.»

Rosettis Frau Rosina und die Kinder Rosina Theresia und Antonia Theresia brachten Rosetti zur Poststation. Seine Frau zog einen kleinen Handkarren mit Rosettis Gepäck.

«Ob es nicht zu viel ist?» sagte Rosetti. «Ich bleibe nicht lange.»

Aber Rosettis Frau hatte darauf bestanden, er müsse einen zweiten Anzug, ein zweites Paar Schuhe, genügend Hemden und, unbedingt, Proviant bei sich haben: einen Schinken aus der Räucherkammer ihres Vaters, Wein.

Es war nicht zu viel. Der Postillion verstaute alles auf dem Kutschendach. Das Gepäck der drei anderen Fahrgäste fand auch Platz.

Wolle er in Fahrtrichtung sitzen?

Ja.

Den Postillion kannte man. Ein Wallersteiner. Die Postkutsche war mit zwei Pferden bespannt.

Frau Rosetti fragte den Postillion, wie weit er fahre.

«Bis Ansbach.»

Rosetti umarmte seine Frau. Die jüngere Tochter Antonia Theresia weinte. Rosetti umarmte sie und umarmte die ältere, Rosina Theresia.

Rosetti hätte an seine Frau schreiben können: Reisen sind eine Tortur für mich. Ich denke zum Beispiel an die Reise nach Paris – sechs Wochen Ungemach auf Rädern, und das allein die Hinreise … Die Kutsche ist eng. Sitzt ein dikker Mann neben dir, so besetzt er einen Teil deines Platzes. Ständig berührt er dich, was ich besonders verabscheue. Der eine hustet – ich huste auch –, der andere niest, der dritte schneuzt sich, daß es ‹wie Trompeten klingt›. Die Türfenster sind undicht, es zieht. Noch schlimmer: Der eine möchte bei geöffneten Fenstern fahren, der andere möchte die Fenster nie öffnen. Du mußt deinem Gegenüber stets ins Gesicht schauen, es sei denn, du stellst dich schlafend. Du möchtest deine Ohren verschließen, um nicht anhören zu müssen, was geredet wird. Es wird immer geredet. Einer erzählt, daß er auf dem Weg zu seiner Braut sei; er will sie zu sich nach Hause holen und heiraten. Sie ist blond wie Weizen, sagt er, sie ist schlank wie eine Birke, sie hat Zähne wie Perlen. Tugendhaft ist sie auch. Ein anderer erzählt von seiner Reise nach XY. Unterwegs brach ein Rad, sagt er. Da war es noch ein Glück, daß die Kutsche nicht umgestürzt ist. Der dritte klagt über Kreuzschmerzen, die kein Wunder sind bei diesen schlecht gefederten Kutschen auf miserablen Wegen. Mancher raucht eine Pfeife, der Rauch verpestet die Luft, ich muß husten. Zwischen den Füßen der Fahrgäste stehen Körbe, so daß man die Beine nicht ausstrecken kann. Einer holt Schinken, Brot, gekochte Eier aus seinem Korb. Er schmatzt, die Eierschalen fallen auf den Boden. Schließlich fördert er eine Flasche Wein und einen Becher zutage und prostet den anderen zu. Ich esse und trinke nie während der Fahrt. Der Esser rülpst, aber entschuldigt sich nicht. Noch ärger: Er lässt einen Wind fahren. Das ärgste: Jemand schafft es, den Postillion zum Anhalten zu bewegen. Der Jemand steigt aus, ächzt, geht zum nächsten Baum und schlägt sein Wasser ab. Ein Fahrgast ruft: «Gute Verrichtung!»

Rosetti hätte schreiben können: Durch Deutschland zu

reisen heißt Grenzen zu queren: Grafschaftsgrenzen, Herzogtumsgrenzen, Fürstentumsgrenzen. Jedes Gräflein, Herzöglein, Fürstlein sorgt auf seine Weise nicht für die Straßen und Wege. Sie befinden sich zumeist in elendem Zustand. Ich wundere mich, daß die Herren hierauf so wenig Attention haben. Oft fährt man durch tiefen Sand, oft über Steine und Stöcke, so daß man erbärmlich durchgeschüttelt wird. Ich hörte einen Fahrgast sagen, die ordinaire Postkutsche gleiche aufs Haar einem Armesünder-Karren. Ein anderer meinte gar, durch Deutschland zu reisen sei eine Reise durch Hundeland. Herr Nicolai spricht mir aus der Seele; er hat geschrieben, auf einer großen Reise ist ein bequemer Reisewagen, was im menschlichen Leben eine bequeme Wohnung ist. Er spricht natürlich von seinem eigenen Reisewagen. Aber wovon sollte ich mir diese Bequemlichkeit leisten können?

Rosetti schrieb nicht an seine Frau. Er wußte, daß sie selber, zusammen mit den Kindern, die Reise unternehmen müßte, falls er in Ludwigslust angenommen werden sollte.

Wo wohnen für einige Tage in der herzoglichen Residenzstadt Ludwigslust. Rosetti war erkältet oder der quälende Husten hatte einen anderen Grund. Der Postkutscher riet Rosetti zu dem Gasthaus «Hotel de Weimar» in der Schloßstraße. Es sei die erste Adresse am Platze, sagte er. Natürlich teuer.

Rosetti hatte im Kopf: Meine Sinfonien werden in Paris und London gespielt, ich bin Hofkapellmeister in Wallerstein, und ich kann mir kein gutes Hotel in Mecklenburg leisten. Ich leiste es mir!

Vom «Hotel de Weimar» bis zum herzoglichen Schloß nur wenige Minuten.

Der Herzog Friedrich Franz I. von Mecklenburg-Schwerin wußte, wer Rosetti war. Er wollte Rosetti haben, als Hofkapellmeister und Compositeur.

In den Verhandlungen gab Rosetti an, im Dienste des Fürsten von Oettingen-Wallerstein nebst 1000 Gulden noch Naturalien, nämlich Wein, Bier, Getreide, Fourage für zwei Pferde, Holz sowie freies Logis und kostenlos Doktor nebst Apotheker bekommen zu haben, welches in summa auf beiläufig 1300 Gulden zu schätzen sei.

Ob der Herzog diese Summe glaubte oder nicht – er wollte Rosetti. Es gefiel ihm, die Summe zu übertreffen.

Rosetti wollte, ehe er nach Wallerstein zurückkehren mußte, etwas in der Hand haben.

Der Hof überreichte ihm einen Kontraktentwurf, den der Herzog mit seinen Initialen unterzeichnet hatte.

«Übrigens werden Wir es gerne sehen, wenn er spätestens den Monat Juli dieses Jahres wiederum hier eintreffen kann», hatte der Herzog in den Kontraktentwurf schreiben lassen.

Rosetti wurde vom 24. Juni an eine jährliche Gage von

1000 Reichsthalern zugesichert, dazu 100 Reichsthaler jährlich für die musikalische Unterrichtung des ältesten Prinzen. Das war viermal mehr als in Wallerstein, nicht gerechnet das Haus, die Naturalien.

Ab 29. September sollte er ein Viertel seiner Jahresgage erheben können.

Außerdem erhalte er jährlich vom 24. Juni an 12 Faden Ellernholz und 12000 Stück Torf.

Es werde für ein anständiges Logis mit Garten gesorgt werden.

Seine Frau erhalte nach seinem dereinstigen Ableben das Reisegeld zur Rückkehr in ihr Vaterland.

Er habe die Erlaubnis, in Dienstangelegenheiten schriftlich Vortrag zu machen, erforderlichenfalls auch mündlich.

Er erhalte völliges Pouvoir über das ganze Orchester, Sänger und Sängerinnen.

Er dirigiere alle Konzerte, sowohl im Zimmer wie auch in der Kirche.

Er solle alle ihm aufgegebenen Kirchen- und andere Musiken unentgeltlich componieren.

«Wenn Wir mit ihm zufrieden sind, wird er lebenslänglich angestellt.»

Die Rückreise nach Wallerstein fiel Rosetti leichter, obwohl er unterwegs wieder an Hustenanfällen litt.

Rosettis Frau sagte: «Ach bin ich froh, daß du zurück bist.» Rosetti umarmte sie. Er umarmte die ältere Tochter, Rosina Theresia, und die jüngere, Antonia Theresia.

«Wir werden in Ludwigslust ein Haus haben. Und einen Garten. Endlich werde ich genug verdienen.»

«Du mußt beim Fürsten um deine Entlassung bitten», sagte Rosettis Frau, «davor fürchte ich mich. Du hast Schulden. Der Fürst kann die Begleichung fordern, ehe er dich gehen läßt.»

«Ich fürchte mich nicht», sagte Rosetti. «Wie anders soll ich Schulden begleichen können als durch den Fortgang nach Ludwigslust, wo ich besser entlohnt werde. Aber es berührt mich doch, daß ich Wallerstein nach 16 Jahren Arbeit verlasse. Wenn ich denke, was alles ich in Wallerstein getan und erlebt. Alle meine Musik ist in Wallerstein geschrieben. Es kommt mir wie ein ganzes Leben vor.»

Schon bald bat Rosetti den Fürsten Kraft Ernst zu Oettingen-Wallerstein um Entlassung, nicht ohne das Bemerken, daß er an den Hof des Herzogs von Mecklenburg-Schwerin zu gehen vorhabe.

Der Fürst mochte nicht erkannt haben wollen, daß er Rosetti besser hätte stellen sollen. Er wußte, wen er an Rosetti hatte. Rosettis Weggang betrübte und enttäuschte ihn. Und er war wütend. Hatte er Rosetti nicht für ein halbes Jahr nach Paris reisen lassen? Und zu Konzerten nach Darmstadt, Ansbach, Speyer, Frankfurt, Mainz? Konnte Rosetti nicht Erlöse aus den Konzertreisen erzielen? Hatte er Rosetti nicht nach dem Fortgang Joseph Reichas zum Kapellmeister gemacht?

Seinem Verdruß machte der Fürst sogar im Entlassungsdekret vom 9. Juli Luft: «Demnach der hiesige Kapellmeister Anton Rosetti uns gefälligst hinterbracht, daß er in Herzogl. Mecklenburgische Dienste getretten, und daher vermüßiget sey, sich aus unsern Diensten abzufordern, und um sein Entlassungs Decret geziemend einzukommen, wir auch diesem Ansuchen entstehen mögen, als ertheilen wir demselben hiermit die verlangte Entlassung ...»

Am Ende doch noch mit dem Beisatz, daß der Fürst überzeugt sei, «Rosetti werde in Ansehung der Kunst allenthalben den entschiedensten Beifall finden.»

Rosettis Frau sagte: «Du mußt erst einmal ...»

«... allein nach Ludwigslust gehen», sagte Rosetti.

«Erst brauchst du das Haus.»

Im Juli trat Rosetti zum zweiten Mal die beschwerliche Reise nach Ludwigslust an. Diesmal mit größerem Gepäck: seine Kleidung, seine Noten.

Der Hofbeamte, der Rosetti zu dem Haus Am Bassin geführt und ihm den Schlüssel übergeben, hatte gesagt: «Hier hat der selige Herr Westenholtz gewohnt, Ihr Vorgänger als Hofkapellmeister.»

An seine Frau schrieb Rosetti: «Ein schönes Haus. Groß genug für uns alle. Vom Haus aus kann man das Schloß sehen. Dieses sieht recht streng aus, aber allerlei Friese, Rosetten, Konsolen beleben die Fassade. Wie eine Krone schmücken sandsteinerne Figuren den Dachrand rings-um; es sind an die vierzig. Dem Schloß gegenüber, am süd-lichen Rand des Schloßplatzes siehst du eine eindrückliche Kaskade, in deren Mitte Flußgötter thronen. Die Kaskade wird vom Bassin gespeist, an dem unser Haus steht. Am östlichen Rand des Schloßplatzes ist die Schloßbrücke; sie führt zur Schloßstraße, welche ein Prachtexemplar ist. Stell dir vor, daß sie eine Fahrspur, einen Reiterweg, eine Promenade und einen Fußweg breit ist! Das gibt es in Wallerstein nicht. Die Schloßstraße ist von Linden ge-säumt. Gerade jetzt blühen sie, was meiner Brust sehr wohltut. Wie soll ich dir die Häuser der Schloßstraße be-schreiben. Jedes Haus ist genauso breit und hoch wie das gegenüberliegende. Immer vier Häuser haben ein gemein-sames Dach. Nach vier Häusern kommt ein kleiner Platz mit einem einzelnen Haus, das etwas weiter von der Straße entfernt ist. So geht es fort bis zu einem runden Platz, wo man sich in der Stadtmitte befindet. Du mußt die Schloß-straße sehen!

Der Schloßpark, der sich hinter dem Schloß nach Nor-den und Westen erstreckt, ist der schönste und größte, den ich je gesehen, ausgenommen der Park von Versailles. Ich spaziere oft im Park, zumeist an einem Kanal entlang. Mir fällt Musik ein. Vom Schloß aus erblickt man, über Kaskade und Bassin hinweg, die Stadtkirche. Sie sieht einem Tempel ähnlich. Einen Turm hat die Kirche nicht, weil man fürchtete, es könnte der Blitz einschlagen. Der Kirchenplatz ist größer als du ihn dir denken kannst. Er ist rechteckig; an jeder Seite stehen kleine Fachwerkhäuser. Hier wohnen niedere Bedienstete des Hofes.»

Bald nach Rosettis Ankunft war die Hofkapelle mit Instrumenten und Noten in den Goldenen Saal des Schlosses beordert worden, den neuen Kapellmeister zu begrüßen.

Rosetti betrat den Saal.

«Ich war kaum eingetreten, als die Hofkapelle zu spielen anhob», schrieb Rosetti an seine Frau. «Und denke dir! Sie spielten aus meinem Oboenkonzert in F das Adagio! Ich blieb vor der Kapelle stehen; ich war so berührt, daß ich ein bißchen weinte. Nach dem Adagio klatschte ich der Kapelle, besonders dem Oboisten, Beifall. Die Musiker bedankten sich, indem sie die Coda wiederholten. Einen glücklicheren Beginn konnte es für mich nicht geben. Der Goldene Saal ist eine wunderliche Räumlichkeit. Die größte im Schloß, mit dem Blick zum Park. Zwei Etagen hoch. Mit einer Galerie rundum. Die Musiker können auch auf der Galerie spielen. Kristallüster. Viele hohe Spiegel, daß man glauben kann, der Saal sei doppelt so groß als in Wirklichkeit. Vergoldete

Ornamente. Kolossale Säulen an jeder Seite. Die Musik hat hier himmlischen Klang.»

Rosetti gab dem Konzertmeister Eligio Celestino die Hand und dem Violinisten Friedrich Marpurg, Sohn des Musikforschers Wilhelm Marpurg. Auch Xaver Hammer, dem Violoncell-Virtuosen und Gambisten, der, wie Rosetti wußte, unter Joseph Haydn sieben Jahre in der Esterházy-schen Kapelle in Eisenstadt gespielt hatte.

In nächster Zeit wollte Rosetti jeden Musiker der Kapelle, jeden Sänger und jede Sängerin persönlich kennenlernen.

Einige kannte er vom Namen her: August Abel, Violinist; Friedrich Braun, Hautboist; Wenzel Sedlazeck, Kontrabassist; Georg Herr, Waldhornist.

Und er hatte schon erfahren, daß im August der Kontrabaß-Virtuose und Komponist Matthias Sperger in die Hofkapelle eintreten werde; Sperger, dem er bei dessen Besuch in Wallerstein begegnet war.

An den Fagottisten Christoph Hoppius in Wallerstein schrieb Rosetti:

«Mein lieber Hoppius,
meine Wünsche sehe ich erfüllt. Die Musiker der Hofkapelle sind vorzügliche Konzertisten. Übrigens schätzen sie mich als Kapellmeister, und sie schätzen meine Musik. Es ist nicht übertrieben, wenn ich glaube, daß sie mich lieben. Auch der Herzog ist mir zugetan. Er kennt Musik und ist

großzügig. Ich erhalte weit mehr als in Wallerstein. Dort habe ich Seiner fürstlichen Durchlaucht 16 Jahre hindurch die beste Zeit meines Lebens bei einem jährlichen Gehalt von 402 Gulden gewidmet. Davon bezog ich monatlich nur 18 Gulden, das übrige meist von Halbjahr zu Halbjahr. Meine Bitte, mir die 402 Gulden mit monatlich 33 ½ Gulden auszuzahlen, wurde nicht erhört. Hier bewohne ich gratis ein schönes großes Haus. Ich muß keine Bittbriefe mehr an die Hochfürstliche Durchlaucht verfassen, in denen der unterthänigste Knecht Rosetti um eine Zulage fleht. Statt der Zulage bekam ich 500 Gulden zu 5 % Zinsen geborgt. Lieber Hoppius, ich denke gerne an unseren Aufenthalt in Mainz und an die generöse Aufnahme am dortigen churfürstlichen Hof. Wie geht es mir. In der Musik gut. Allerdings ein Fagottist fehlt mir. Um meine Gesundheit steht es nicht zum besten. Der leidige Husten setzt mir zu, daß ich oft fürchte, ich huste mir das Leben aus dem Leib. Dein Rosetti.»

Christoph Hoppius ließ es sich gesagt sein. Er ersuchte um seine Entlassung aus dem Dienst des Fürsten zu Oettingen-Wallerstein. Er wurde entlassen und machte sich auf den Weg nach Ludwigslust.

Der Fürst hielt das für einen Anlaß, an den Herzog von Mecklenburg-Schwerin zu schreiben: Es sei ihm empfindlich zu erfahren, daß Rosetti es sich zum Geschäft mache, andere Leute aus seiner Kapelle zu debauchieren, wovon das Entlassungsgesuch seines Fagottisten Hoppius einen Beweis darstelle.

Herzog Friedrich Franz schrieb an den Fürsten: «Freilich ist es immer unangenehm, gute Subjekte aus seinem Dienste zu verliehren, aber äußerst hart wäre es, wenn man Leute von ihrer Glücksverbesserung abhalten wollte. Aus angeführten Gründen werden E. L. es keineswegs mißbilligen, wenn ich den Kapellmeister Rosetti vielmehr zu protegieren als durch unverdiente Vorwürfe mißmutig zu machen für dienlich finde.»

Der herzogliche Hof ließ bei Rosetti anfragen, ob genügend Zeit bleibe, ein Stück zu komponieren und einzustudieren bis zum 10. Dezember.

Rosetti fragte: «Warum gerade zum 10. Dezember?»

Es sei der Geburtstag des Herzogs, der 33.

«Woran ist gedacht?»

An ein Singspiel.

«Ich brauche ein Libretto.»

Das habe man. «Das Winterfest der Hirten» von dem Pfarrer Julius Tode.

«Ich lese es.»

Rosetti fand Gefallen an der Idee. «Mein erstes Bühnenstück!»

In Wallerstein wäre das nicht möglich gewesen. Aber in Ludwigslust gebot er über Sängerinnen und Sänger.

Die Zeit bis zum 10. Dezember war ausgefüllt mit der Komposition und mit der Einstudierung des Singspiels.

Die Aufführung war für Rosetti ein Fest.

Durchgefroren und müde traf Hoppius Ende Dezember in Ludwigslust ein. Er nahm vorerst im «Hotel de Weimar» Quartier, da ihm versichert worden war, der Hof werde die Auslage erstatten.

Hoppius sagte zu Rosetti: «Ich soll dich von Rosina grüßen und von deinen Töchtern.»

«Wie geht es ihnen.»

«Gut. Sie sind oft bei Rosinas Eltern im Gasthof. Die Kinder lieben die Großeltern.»

«Sie fehlen mir. Ich bin allein in dem großen Haus.»

«Im Winter will Rosina die Reise nach Ludwigslust mit den Kindern nicht machen. Den Kindern mag sie das nicht antun.»

«Aber sie weiß, daß ich das Haus habe.»

«Ja.»

«Und daß es mir nicht an Geld fehlt.»

«Natürlich.»

«Jesus in Gethsemane?»

«Ja. Ein Text von Pfarrer Tode für ein Oratorium.»

«Tode ist Lutheraner, ich bin Katholik. Ich mache ein Oratorium für beide.»

Rosetti las den Eingangs-Chor: «‹Nehmet wahr des Hohenpriesters, den wir bekennen, Christi Jesu. Er hat am Tage seines Fleisches Gebet und Flehen mit starkem Geschrei und Tränen Gott geopfert›.

Aber meine Musik soll über diesem Text stehen. ‹Meine Seele ist betrübt bis an den Tod›.»

Spätestens im Januar 1790 ist Rosettis Frau vielleicht doch schon in Ludwigslust gewesen. Ist sie im Lauf des Jahres noch einmal nach Wallerstein zurückgekehrt, um dort, im Haus ihrer Eltern, die Tochter Amalia zur Welt zu bringen? Amalia wurde im September geboren.

Drei Monate nach seiner Ankunft in Ludwigslust sagte Hoppius zu Rosetti: «Ich gehe zurück nach Wallerstein. Die mecklenburgische Gegend liegt mir nicht.»

«Was wird der Fürst zu Oettingen dazu sagen.»

«Er nimmt mich wieder auf. Und ich bekomme so viel Gehalt wie in Ludwigslust. 200 Gulden mehr als vorher. Nimm es mir nicht übel, daß ich zurückgehe.»

«Du fehlst mir.»

Rosetti wollte den Hustenreiz unterdrücken, aber es gelang ihm nicht. Mitten in der Orchesterprobe beugte ihn ein schmerzhafter Anfall. Er hustete so gequält, daß Celestino, der Konzertmeister, zu ihm ans Pult ging und leise fragte: «Kann ich helfen?»

Rosetti brachte nur heraus: «Übernehmen Sie die Probe.»

Hustend ging er aus dem Goldenen Saal.

Nichts wollte Rosetti helfen. In Wallerstein hatte Rosettis Frau Eibischwurz in Honigwasser für ihn gesotten, er hatte Süßholzsaft getrunken, Eidotter mit Zucker gelöffelt. Nichts. Rosetti begnügte sich mit Kandiszucker und Lakritze. Es half nicht.

Nach den angreifenden Hustenanfällen fühlte Rosetti sich schwach und leicht.

War Rosetti zu hinfällig, die Hofkapelle zu dirigieren, dann komponierte er für sie.

«Und wie? nur ich allein, dein Abdruck, Zögling, ich, der Mensch, der glückliche, vom Säuseln deiner Gegenwart in diesem Augenblick gefaßt, durchdrungen, ich stünde wie verstarrt und fiel in dies Konzert von Millionen Zungen, dies große, dies entzückende Halleluja nicht ein?»

Er komponierte die Kantate, der Text kam von Pfarrer Tode.

Ob Rosetti den Geiger und Impresario Johann Peter Salomon kannte? Ob er wußte, daß Salomon nach seiner Zeit als Konzertmeister im Orchester des Prinzen Heinrich von Preußen in Rheinsberg 1781 nach London gegangen war und dort als Impresario berühmt wurde?

Ob Rosetti wußte, daß Salomon 1790 Joseph Haydn in Wien besuchte und Haydn bewog, mit ihm nach London zu reisen?

Ob Rosetti erfuhr, daß Salomon in den Hannover Square Rooms die Salomon-Haydn-Konzerte veranstaltete?

Ob Rosetti die Nachricht erreichte, daß am 11. März 1791, im ersten Salomon-Haydn-Konzert, eine Sinfonie von ihm gespielt worden war? Dirigiert von Salomon. In Gegenwart Joseph Haydns.

Anfang Oktober 1791 hörte Rosetti, das Königliche Orchester in Berlin habe gelegentlich der Hochzeit von Prinzessin Friederike Charlotte von Preußen mit Friedrich August Herzog von York und Albany Musik von ihm gespielt.

Rosetti freute sich sehr. Machte er sich Hoffnungen? Immerhin, der Kapellmeister am Berliner Hof, Christian Kalkbrenner, wollte Berlin verlassen. Das wußte man. Er hatte sich nach dem Tode von Westenholtz um die Stelle des Kapellmeisters in Ludwigslust beworben, die Stelle, die Rosetti bekommen hatte. Andererseits: Kalkbrenner konnte seine Opern im Schloßtheater Rheinsberg aufführen. Ein Theater gab es in Ludwigslust nicht. Vielleicht aber wollte Kalkbrenner jetzt nach Paris.

Celestino fragte Rosetti, ob er erfahren habe, daß Mozart am 5. Dezember vom Tode übereilt worden.

Rosetti sah Celestino an. Er sagte: «Mozart.» Im selben

Moment liefen Tränen über sein Gesicht. Er wandte sich ab, mußte sich setzen.

Johann Joseph Strobach, Kapellmeister des Prager Nationaltheater-Orchesters und Chorregent der Pfarrkirche St. Niklas, war mit Mozart wohlbekannt. Er hatte die erste Aufführung von «Le nozze di Figaro» in Prag 1786 dirigiert, lernte Mozart persönlich kennen im Januar 1787; Mozart und Constanze waren nach Prag gekommen, und Mozart besuchte die Aufführung des «Figaro» am 17. Januar, die Strobach dirigierte. Zwei Tage später führte Mozart im Nationaltheater seine Sinfonie in D-Dur auf, am Tag darauf dirigierte er den «Figaro».

Während seines zweiten Prag-Aufenthaltes leitete Mozart Ende Oktober die Uraufführung des «Don Giovanni».

Als Mozart ein letztes Mal in Prag weilte, war er am 6. September 1791 bei der Uraufführung von «La Clemenza di Tito» im Nationaltheater zugegen.

Mit Rosetti war Strobach seit Rosettis Prager Zeit befreundet.

Strobach wollte ein Requiem für Mozart, die Musiker des Nationaltheater-Orchesters wollten ein Requiem für Mozart.

Strobach dachte sogleich an Josepha Duschek; sie und ihr Mann waren Mozarts Prager Gastgeber in ihrer Villa Bertramka gewesen. In Salzburg hatte Mozart für Josepha die Arie «Ah, lo previdi» geschrieben, zehn Jahre später, im November 1787 in Prag, die Arie «Bella mia fiamma». Für Strobach kam als Solistin nur Josepha Duschek in Frage.

Strobach nahm sich der Arbeit an. Wo konnte das Requiem aufgeführt werden? In der kleinseitner barocken Pfarrkirche St. Niklas von Vater Christoph und Sohn Ignaz Dientzenhofer. Hier regierte Strobach den Chor. Hierher sollte das Orchester des Nationaltheaters kommen.

Es durfte keine Zeit verloren werden. Für Mittwoch, 14. Dezember 1791, den neunten Tag nach Mozarts Tod, wurde das Seelenamt angekündigt.

Welches Requiem sollte Strobach wählen? Er entschied sich für Rosettis Wallersteiner Requiem von 1776, das dieser zu Ehren der Fürstin Marie Therese zu Oettingen-Wallerstein komponiert hatte.

Das Sopran-Solo des Offertoriums sang Josepha Duschek.

Ob Rosetti von der Prager Aufführung erfuhr?

Sind Prager und Wiener Zeitungen nach Ludwigslust gelangt?

In der Prager Oberpostamtszeitung vom 17. Dezember 1791 hätte Rosetti lesen können: «Den 14ten Dezember um 10 Uhr wurden in der kleinseitner Pfarrkirche bey St. Niklas die feyerlichen Exequien für den am 5ten in Wien entschlafenen Kapellmeister und k.k. Hofkomponisten Wolfgang Mozart gehalten; eine Feyer, ganz des großen Meisters würdig, und die dem prager Orchester des Nazionaltheaters unter der Direkzion des rühmlichst bekannten Hrn. Joseph Strohbach, das sie veranstaltete, und allen berühmten hiesigen Tonkünstlern, die daran theilhatten, die größte Ehre macht. Am Tage selbst wurden durch eine halbe Stunde alle Glocken an der Pfarrkirche geläutet; fast die ganze Stadt strömte hinzu, so daß weder der wälsche Platz die Kutschen, noch die sonst für beynahe 4000 Menschen geräumige Kirche die Verehrer des Verklärten fassen konnte. Das Requiem war von dem berühmten Kapellmeister Rosetti, es wurde von 120 der ersten Tonkünstler, an deren Spitze unsere beliebte Sängerin Duschek stand, so herrlich exekutirt, daß Mozarts großer Geist im Elisium sich darüber freuen mußte ...»

Rosetti, berühmt in Prag und Wien, saß in Ludwigslust, und es ging ihm schlecht im mecklenburgischen Winter. Der Husten verfolgte ihn. Öfter mußte er seinen Konzertmeister Celentino bitten, die Orchesterproben zu übernehmen, ja sogar die Konzerte. Zum Komponieren kam er kaum. Eine ungekannte Schwäche zwang ihn, tagelang innezuhalten.

Die Einladung des Königs Friedrich Wilhelm II. an Rosetti, für einige Zeit nach Berlin zu kommen, erregte am Ludwigsluster Hof Befremden. Natürlich mußte Rosetti die Einladung annehmen. Aber: Wie kam es zu dieser Einladung? Welche Absicht hegte der Berliner Hof? Und vor allem: Was wollte Rosetti?

Rosetti reiste im Februar nach Berlin. Er wohnte bei Tepper Unter den Linden. Er hatte kommen sollen, um im königlichen Schloß sein Oratorium «Jesus in Gethsemane» und seine «Halleluja»-Kantate aufzuführen.

Am 17. Februar klopfte es an Rosettis Zimmertür. Er öffnete, und vor ihm stand sein alter Freund und Verleger Bossler aus Speyer.

«Seit acht Jahren habe ich dich nicht gesehen!» rief Bossler.

Rosetti umarmte ihn.

Sie setzten sich. Bossler sagte: «Was ist mit dir. Du siehst krank aus.»

»Mein Husten», sagte Rosetti.

»Ich untertreib. Nicht krank siehst du aus, sondern entkräftet, fast unkenntlich. Verzeih, guter Freund, ich sag's gradheraus: Ich fürchte, wenn du nicht in die Hände eines guten Arztes gerätst, wirst du, wie Mozart, unsere niederen Regionen bald verlassen.»

Rosetti sagte: «Das ist das Erstaunliche: Seit ich in Berlin bin, geht es mir besser, nein: gut! – Und was führt dich nach Berlin?»

«Ich begleite als Impresario Marianne Kirchgeßner auf ihrer Konzertreise. Sie ist eine Glasharmonikaspielerin. Sie ist blind. Voriges Jahr im Juni hat sie in Wien gespielt, und

Mozart war in ihrem Konzert. Kurz vor seinem Tod hat er zwei Stücke für sie geschrieben: Das Solo-Adagio in C-Dur und das Quintett für Glasharmonika, Flöte, Oboe, Viola und Violoncello.»

«Das wußte ich nicht. Wie lernt sie die Stücke?»

«Durch Vortrag am Klavier. Sie hat ein phänomenales Gedächtnis. Aber sag mir: Was tust du in Berlin?»

«Ich bin bei den Proben zu meinem Oratorium ...»

«Der König liebt deine Musik sehr.»

«... und ich soll die Aufführung leiten. Das Konzert wird am 2. März sein, im Weißen Saal des Schlosses. Es ist mein Berliner Concert spirituel.»

«Ich komme natürlich. Sag: Wie ist der König?»

«Die Hofkapelle zählt für meine Aufführung über 70 Personen. Dazu der Chor. Hofkapelle und Hofoper. Von der Hofoper kommen auch die Solisten: der Bassist Ludwig Fischer ...»

«Er hat vor zehn Jahren den Osmin gesungen in der Ur-aufführung der ‹Entführung aus dem Serail›.»

«Das wußte ich auch nicht. Dann: der Tenorist Franz Hurka, der Altist Giuseppe Tosoni ...»

«Gute Namen.»

«... und die Sopranistin Auguste Schmalz, die aber nicht zur Hofoper gehört.»

«Wie ist der König.»

«Er liebt die Musik. Er ist selber ein respektabler Cellist und hat bei der ersten Probe mitgespielt.»

«Du dirigierst den König?»

«So kann es kommen.»

«Bei wem hat er gelernt?»

«Bei Duport, dem ersten Cellisten der Hofkapelle, der auch komponiert.»

«Über den König wird viel geredet.»

«Die Leute nennen ihn den dicken Liederjan, weil er gerne ißt und wegen seiner Frauen. Aus der ersten Ehe mit Elisabeth von Braunschweig hat er eine Tochter. Aus der zweiten Ehe mit Friederike von Hessen, der Königin, hat er sieben Kinder, darunter ist der Thronfolger. Gleichzeitig lebt er seit seinem 23. Lebensjahr in einer Liaison mit Wilhelmine Encke, die ihm 5 Kinder geboren hat. Sie ist die Tochter eines Hornisten der Hofkapelle. Außerdem ist er mit zwei Hofdamen der Königin noch Ehen zur linken Hand eingegangen: mit Julie von Voß, die zur Gräfin Ingenheim erhoben wurde, und nach deren Tod mit der Gräfin Sophie von Dönhoff.»

«Alle Achtung, du weißt Bescheid.»

«Weil viel davon geredet wird. Aber es interessiert mich nicht.»

«Sag mir, hast du einmal daran gedacht, nach Berlin zu gehen?»

«Es ist ein Traum von mir.»

Rosetti hatte keine Zeit, nach seinem Konzert noch in Berlin zu bleiben. Er mußte in Ludwigslust die Feierlichkeiten zum Geburtstag von Herzogin Luise am 9. März vorbereiten helfen.

Er verabschiedete sich von Bossler und versprach ihm, drei neue Sinfonien nach Speyer zu schicken. Bossler wollte mit Marianne Kirchgeßner noch längere Zeit in Berlin verweilen.

Kaum hatte Rosetti Berlin verlassen, krümmte ihn ein Hustenanfall, und so ging es in Ludwigslust fort. Er mußte sich zu Bett legen; die Anstrengung des Berliner Konzerts kam über ihn.

Ende Mai las seine Frau ihm aus der Musikalischen Korrespondenz der Teutschen Filharmonischen Gesellschaft vor: «Des Königs Majestät haben in der diesjährigen Fastenzeit zwei sehr glänzende und von der ganzen doppelten königlichen Kapelle sehr gut ausgeführte geistliche Konzerte auf dem sogenannten weißen Saal des Schlosses gegeben, und durch des Etatministers Wöllner Exzellenz sämtliche berlinische Prediger beider Konfessionen dazu einladen lassen, die sich auch beinahe alle, einige 40 an der Zahl, dazu einfanden. Dieser weiße Saal, der größte und höchste des Schlosses, war sonst bloß durch weiße Gipsarbeiten und 12 weiße marmorne Statuen der Kurfürsten geziert, und die fürstlichen Trauungen geschahen nur in demselben; während dieser Regierung ist er mit schönen historischen Gemälden berühmter Meister behangen. Auf fünf großen kristallnen Kronleuchtern und auf 12 hohen 12armigen Girandolen brannten an 400 Wachslichter, so wie alle Säle, Zimmer und die Bildergalerie, durch welche man ging, gehörig erleuchtet waren. Das Orchester war mit Instrumentisten und Sängern sehr zahlreich und ausgesucht besetzt. In dem ersten Konzert am 2ten März war das Oratorium ‹Jesus in Gethsemane› und eine ‹Hallelujakantate›, beide von dem herzoglichen Mecklenburgischen Kapellmeister Anton Rosetti komponiert, letztere von dem Präpositus zu Pritzier H. J. Tode gedichtet, aufgeführt. Als Kunstwerk war die Ausführung gut, und nur als solche betrachtet sie der Hof und der Kunstkenner.»

Rosetti sagte: «Ich gehe für immer nach Berlin. Dort werde ich gesund.»

Seine Frau schwieg.

Am 27. Juni mochte Rosetti nicht mehr essen.

Am 28. Juni mochte Rosetti nicht mehr trinken.

Am 29. Juni sagte er leise: «Gott hat mich geschlagen. Die Anfälle bringen mich um den Sinn meines Lebens.»

Am 30. Juni, morgens, drehte er sich zur Wand. Um sieben Uhr abends wurde ihm ums Herz leicht.

QUELLEN

Als Quellen haben mir u. a. gedient Texte von Carl Friedrich Behrens, Martin Disselkamp, Günther Grünsteudel, Alexander Harvey, Carl Justi, Wolfgang Leppmann, Clemens Meyer, Cesare Pagnini, Michael Reinbold, Walter Rehm, Irvin S. Saposnik, Ludwig Schiedermair, Robert Louis Stevenson, Heinrich Alexander Stoll, Johann Joachim Winckelmann.

Die kurze Skizze der Verhandlungen vor dem Kaiserlich-Königlichen Kriminalgericht zu Triest folgt der Mordakte Winckelmann: Die Originalakten des Kriminalprozesses gegen den Mörder Johann Joachim Winckelmanns (Triest 1768), aufgefunden und im Wortlaut des Originals in Triest 1964 herausgegeben von Cesare Pagnini, übersetzt und kommentiert von Heinrich Alexander Stoll (Berlin 1965).